La nature morte
à l'aquarelle

Bordas

Les PAS à PAS

de Parramón

Traduction française : Annie Santarén

Édition originale :
© Parramón Ediciones, S.A., 1990, 1re édition

Édition française :
© Bordas, S.A., Paris, 1990
ISBN 2-04-018431-7
Dépôt légal : mai 1990

Achevé d'imprimer : mars 1990
Dépôt légal : B-2.487-90
Numéro d'éditeur : 785

Imprimé par Cayfosa
Sta. Perpètua de Mogoda - Barcelone (Espagne)

La nature morte
à l'aquarelle

La collection PAS À PAS de Parramón présente un ensemble de livres destinés à l'enseignement du dessin et de la peinture. La méthode consiste à observer ce que font plusieurs artistes professionnels et à suivre leur processus de création.

Chaque volume développe une technique ou un procédé pictural — huile, aquarelle, acrylique, pastel, crayons de couleur, etc. — et un thème précis : paysage, marine, nature morte, personnage, portrait, etc.

Chaque livre offre un enseignement déterminé en rapport avec le sujet. Dans ce livre-ci : « La nature morte à l'aquarelle », sont développés, à l'aide d'exemples : la composition, la mise en place des valeurs et les rapports entre les couleurs. En outre, chaque volume permet de revoir les techniques qui correspondent au médium utilisé.

Toutes ces connaissances : thématique, choix du sujet, composition, interprétation, couleur, harmonisation, effets de lumière et d'ombre, valeurs, gammes chaudes, froides, rompues, et plus encore... toutes les techniques et les astuces qui constituent le savoir-faire et le métier de plusieurs artistes-peintres, sont expliquées et illustrées trait à trait, PAS À PAS, par des dizaines de photographies prises au moment où l'artiste peint son tableau.

Voilà ce qui rend cette collection PAS À PAS de Parramón vraiment extraordinaire.

J'ai personnellement assumé la direction de ce travail en équipe dont je me sens fier. Qu'il me soit permis d'affirmer ici **ma conviction sincère que cette collection pourra réellement servir à l'apprentissage de la peinture.**

José M. Parramón
Directeur de la collection PAS À PAS

Le groupe des aquarellistes de Catalogne

Comme le veut la tradition, cette introduction s'adresse aux amateurs de peinture et plus particulièrement à ceux qui s'y essaient. En outre, sa rédaction faite conjointement par les élèves et les professeurs la rend particulièrement originale.

Nous voici dans l'association du groupe des aquarellistes de Catalogne, une des plus anciennes d'Europe. Presque tous les artistes qui s'adonnent à l'aquarelle, viennent s'y réunir.

Le groupe des aquarellistes a été créé en 1865 sous la dénomination de Centre des aquarellistes. C'est sous l'impulsion de Marià Fortuny que ce centre fut fondé. Artiste de réputation mondiale, à tel point que certains ont pu dire de lui qu'il comble à lui seul le vide laissé de la mort de Goya jusqu'à la naissance de Picasso dans la peinture espagnole. Fortuny a non seule-

ment participé activement à la création de ce groupe d'artistes, mais c'est aussi sous son impulsion que l'aquarelle est devenue, tant en Espagne qu'en France et en Italie, un art à part entière, une technique picturale authentique et forte.

Fig. 1. et 2. Élèves assistant aux cours de Marti Anton au groupe de aquarellistes de Catalogne.

Fig. 3. Marià Fortuny (1838-1874), *Paysage*, musée du Prado, Madrid. C'est une des œuvres qu fit le mieux connaître l'aquarelle en France, en Italie et en Espagne et permit son expansion pendant la deuxième moitié du XIXe siècle.

L'aquarelle : repères historiques

L'aquarelle est, comme nous le savons, une technique très ancienne, d'origine égyptienne (elle apparaît dans les illustrations de papyrus). Au XVIe siècle elle fut réintroduite en Europe, en particulier par le grand Albrecht Dürer.

Deux faits majeurs expliquent son développement ultérieur. Elle sert dans les livres de voyage : dans les gravures représentant des vues, l'aquarelle donne la couleur. D'autre part, elle sert de substitut à la photographie encore inexistante, ce qui explique sa grande vogue et l'a conduite à son apogée. C'est en particulier à travers l'œuvre de l'Anglais Turner, romantique, grand voyageur et coloriste extraordinaire, que l'aquarelle fut reconnue et saluée par les milieux artistiques. Turner influença les Impressionnistes qui le reconnaîtront comme leur précurseur. Delacroix joua lui aussi un grand rôle, en particulier avec son journal de croquis marocains réalisés à l'aquarelle et qui lui serviront à composer les tableaux impressionnants de passion, le romantisme, sur des thèmes bibliques ou historiques. Ainsi, l'aquarelle va pénétrer peu à peu dans les écoles d'art et les musées des pays occidentaux. C'est pourtant la rencontre du caractère « utilitaire » de l'aquarelle dans l'édition et l'illustration au XIXe siècle et son succès artistique à travers l'œuvre de grands peintres, qui va permettre à la technique de l'aquarelle de se développer pour arriver jusqu'à nos jours, riche de toutes ses particularités. Plus tard les Impressionnistes nous apporteront l'influence orientale : les dessins à l'encre, les lavis japonais vont confirmer la valeur artistique de cette technique.

4

5

Fig. 4. Joseph William Turner (1775-1851), *Venise : San Giorgio maggiore depuis la douane*, British Museum, Londres. Peinte lors de son dernier voyage à Venise, c'est l'une de ses œuvres les plus originales. Pour Turner, l'aquarelle fut un moyen privilégié pour rendre l'atmosphère, la lumière.

Fig. 5. Albrecht Dürer, *La Touffe de gazon*, 1503. Aquarelle et gouache sur papier blanc. L'Albertina, Vienne. Dürer peignait à l'aquarelle ses études. Mais l'aquarelle lui servit surtout à peindre des plantes, des animaux parfaits. Ce fut le premier peintre occidental, après le Moyen Age, à peindre à l'aquarelle.

Les aquarellistes du groupe

Après ce voyage dans l'espace et dans le temps, nous voilà arrivés en 1989, dans le local du groupe des aquarellistes, lieu de rencontre pour les étudiants et les professionnels. Nous allons vous présenter maintenant les artistes qui y travaillent et qui y enseignent pour certains.

C'est le cas de José Martin Anton, notre invité du jour. Il va peindre sous nos yeux une nature morte à l'aquarelle tout en nous commentant le travail de ses élèves. En outre, nous vous présenterons les œuvres de Manel Plana, de Ceferino Olivé et Carmen Barrios ; simple aperçu, mais de qualité, sur l'aquarelle et les possibilités d'expression qu'elle offre.

Nous allons au cours des différents chapitres suivre le travail de plusieurs aquarellistes : José Martin Anton, Dolors Raich, Amadeu Casals et Manel Plana. Nous espérons que vous en tirerez profit à l'heure de vous mettre au travail.

Fig. 6. Nature morte d[e] Manel Plana. Une com[position hardie, avec un[e] profusion de blancs e[t] une mise à profit max[i]mum des qualités d[e] transparence de l'aqua[re]relle.

Fig. 7. Aquarelle de Ce[f]erino Olivé. A l'oppos[é] de l'œuvre précédente[,] on trouve ici un traite[ment de l'aquarelle plu[s] dense qui donne des qua[li]lités et des texture[s] proches de l'huile.

Fig. 8. Aquarelle de Ca[r]men Barrios. On rema[r]quera tout particulière[ment le traitement de[s] « valeurs » qui s'attach[e] au sujet. On utilise le clai[r] obscur pour donner le v[o]lume aux objets.

Fig. 9. Une esquisse trè[s] spontanée de Martin A[n]ton exécutée à l'aqua[re]relle. Ici, la technique se[rt] plutôt à suggérer qu'à e[x]primer la place et [la] forme des objets.

6

7

8

9

Thème d'étude : la nature morte

Nous allons nous rendre dans l'atelier d'étude ; nous nous y sentirons plus proches des élèves.

Tous ces artistes travaillent sur le même thème, la nature morte. Pourquoi ce choix en particulier ? Comme ont pu le souligner Van Gogh et Cézanne, c'est un choix judicieux, pour différentes raisons. Tout d'abord, c'est un modèle à la portée de tout un chacun. Ensuite on peut très facilement le changer de position, modifier son éclairage. Et enfin, les formes sont simples, presque géométriques (vases, plats, fruits, fleurs...). C'est vraiment un thème adapté à l'étude, car on y trouve de manière simplifiée les problèmes d'expression picturale et de composition que l'on rencontrera lors de l'exécution de paysages ou de figures. La nature morte nous permet de nous consacrer exclusi-

vement à l'étude et à la résolution de problèmes picturaux.

La manière dont Martin Anton dispose les objets qui composent son modèle est assez surprenante. C'est un ensemble d'objets disparates, une vingtaine voire une trentaine, qui nous apparaissent pour certains juxtaposés sur un même plan, pour d'autres, superposés sur différents plans. C'est à l'élève de choisir la partie, la composition, le nombre et les éléments qui conviennent le mieux au type d'étude qu'il veut faire.

11

Fig. 10 et 11. Natures mortes réunissant une infinité d'objets. Chacun des élèves se place plus ou moins près du modèle et choisit alors la partie qu'il va composer. Il peut, s'il le désire, augmenter la taille des objets.

Fig. 12. Paul Cézanne, *Pot bleu et bouteille de vin*, 1902-1906. Collection privée, Mr et Mrs Eugène Victor Thaw, New York. Cézanne disait que toutes les formes de la nature permettaient au peintre de maîtriser le sujet sans difficulté, mais présentaient par ailleurs suffisamment de complexité pour lui permettre d'approfondir les problèmes d'expression picturale.

Fig. 13. Vincent Van Gogh, *Fritillaires, couronne impériale dans un vase de cuivre*, 1886. Huile sur toile, musée d'Orsay, Paris. Van Gogh écrit à son frère Théo : « J'ai pensé pouvoir donner des cours de peinture pour gagner ma vie. Je commencerai par apprendre à peindre des natures mortes. »

12

13

La composition d'un tableau

Les élèves de Martin Anton et d'autres personnes qui viennent au groupe des aquarellistes pour étudier ou perfectionner leur technique de la peinture à l'aquarelle ont aimablement accepté de nous montrer quelques-uns de leurs travaux. C'est à partir de ceux-ci que nous allons étudier certains des thèmes importants qui nous permettront d'avancer dans l'apprentissage de la peinture et plus particulièrement de l'aquarelle : la composition, la mise en valeurs, la couleur et l'expression picturale.

exemple, sous la Renaissance), dans les natures mortes et parfois dans les paysages. Cela s'explique du fait que toute composition partant d'une forme plus ou moins géométrique donne une grande cohérence interne, c'est-à-dire un point de départ sur lequel viennent s'ajouter les variations appropriées.

Platon a pu écrire au sujet de la composition qu'elle est « la variété dans l'unité ». C'est pourquoi une composition de type unitaire est une bonne base pour mener à

Fig. 14. Composition l'aquarelle de Marib Jarque. Les objets s'o ganisent pour former u triangle, une pyramic presque symétrique, pa tout à fait centrée. Le tons plus sombres c fond et de la bouteill marron tous deux, s'uni sent dans un « cadre qui entoure ce « tria gle » central.

14

15

16

Par où commencer ?

En premier lieu, il nous faut choisir le sujet et sélectionner la partie qui nous intéresse. Ensuite nous plaçons sur le papier (ou la toile) ses différents composants. C'est ce qu'on appelle la composition. Elle exprime l'ordre interne, l'union des différents composants, le sens global que nous désirons donner au tableau (et que nous devons impérativement lui donner).

Nous avons retenu deux œuvres d'élèves de Martin Anton comme exemples types de composition. Dans la première (fig. 14), les objets forment un triangle ou une pyramide, surtout dans la partie où ils ont été mis en valeur par l'éclairage et la couleur. Remarquez la forme du triangle. Ce n'est pas un triangle géométrique parfait, mais une « suggestion » de triangle. Les compositions en forme de pyramide sont très courantes. On les trouve souvent dans les tableaux de personnages (par

Fig. 15. Composition c Helena Roig, autre élèv de Martin Anton. Ici le différents éléments so placés de façon plus con plexe. La couleur jaur du chiffon unit les élé ments entre eux comm pour illustrer la phrase c Platon : « la variété dar l'unité. »

Fig. 16. Composition ha die d'Aroca Rivera, asse réussie. La diagonale fo mée par les objets divis le tableau de la gauch vers la droite. Fortemen marquée par le plan in cliné de la boîte, qui s trouve à gauche du t bleau.

...erme un tableau. On peut introduire
...lors de légères modifications : des élé-
...ments de surprise, des accidents, toujours
... l'intérieur du thème général (dans ce
...as, un triangle). Ajouter des objets « en
...ehors » du triangle est une des mille ma-
...ières de créer « la variété dans l'unité ».

Dans le second exemple, il s'agit d'une
...omposition plus complexe, plus variée
...fig. 15). Curieusement on y retrouve un
...chéma pyramidal avec, au sommet, le
...oulot de la bouteille foncée. Toutefois ce
...chéma est rompu par la courbe de l'anse
...u panier, par la ligne horizontale formée
...ar le chiffon jaune et enfin, par les
...ormes variées des objets qui brisent les
...ignes de base. Pour mener à bien une
...omposition de ce genre, il faut travailler
...e rapport entre les objets (c'est-à-dire
...'UNITÉ), en se servant, en particulier,
...e la couleur et de l'éclairage. Dans ce ta-
...bleau, c'est le chiffon jaune, cette grande
...urface colorée, qui permet d'unir, d'in-
...égrer tous les éléments de la composition
...t d'éviter ainsi qu'aucun d'entre eux ne
...oit « de trop » ou se sépare de l'ensemble.

Cézanne s'est servi abondamment de la
...couleur pour arriver à l'unité ; c'est une
...les façons d'obtenir « la variété dans
...'unité ». Sur cette page, nous vous pré-
...entons deux natures mortes, toutes deux
...excellentes. L'une est de Cézanne, l'autre
...le Giorgio Morandi. Leurs compositions
...ont très différentes et méritent votre at-
...ention. En quoi donnent-elles vie à
...'œuvre en dehors de tout autre facteur
...'appréciation ?

Fig. 17. Paul Cézanne, *Nature morte*, 1895. Hui-le sur toile, musée de l'Er-mitage, Léningrad. Cézan-ne fut entre autres un maître de la composition. Il étudiait attentivement es Classiques ; il choisis-sait avec soin ses mo-dèles pour les disposer ensuite avec précision dans son tableau et sug-gérer des rythmes, un mouvement, l'espace, la couleur et la lumière.

Fig. 18. Giorgio Morandi, (1880-1964), *Nature morte*, 1916. Huile sur toile, Mu-sée d'art moderne, New York. Morandi s'est adon-né toute sa vie à la nature morte. Sa façon de dis-poser les objets est sur-prenante de simplicité : quelquefois placés com-me une frise, d'autres fois en enfilade, ou en quinconce... Ses pein-tures sont très poétiques bien que très austères.

Importance de la mise en place des valeurs

19

« Quelle est la règle d'or de votre enseignement, ou en termes plus pédagogiques, quel objectif poursuivez-vous ? Martin Anton nous répond sans hésitation : « Mettre en place les valeurs ; c'est l'essentiel ! Qu'on tienne un pinceau depuis une semaine, deux, cinq ou dix ans le travail des valeurs est essentiel. »

Mettre les valeurs, c'est « savoir regarder » et par conséquent savoir interpréter. Travailler les valeurs, c'est exprimer les changements de couleur produits par les ombres, les reflets, les lumières, c'est exprimer les volumes, le modelé, la profondeur, la troisième dimension. En effet, il nous arrive de nous laisser mener par ce que nous « savons » du modèle. Prenons le cas de l'anse d'un vase bleu foncé sur un fond noir. Bien qu'ils se confondent, nous « savons » que l'anse est là, et nous la peignons ; alors elle ressort « en dehors » de l'ensemble, sans rapport avec le contexte ; elle nous déconcerte. En réalité nous avons peint ce que nous « savons » mais non ce que nous voyons, car ce que nous voyons c'est le fond sombre dans lequel l'anse s'est fondue, disparu. En clair, nous ne la voyons pas.

20

Fig. 19. Il s'agit pour Francisco Javier Garrido de surmonter, dans cet exercice à l'aquarelle, la difficulté à rendre les volumes et les rapports entre tous les objets —ombres, situation dans l'espace—. On essaie de la dépasser en faisant varier les tons du blanc au noir, le clair et le foncé, c'est-à-dire le clair-obscur : la mise en valeurs la plus absolue.

Fig. 20. Solution beaucoup plus coloriste au même problème. Camps a composé cette nature morte, d'ailleurs très bien peinte, en mettant à profit les qualités de pureté de netteté de l'aquarelle. Le volume des objets est rendu par la couleur, en changeant les tons, en les rendant plus neutres ou plus opaques.

Bien sûr, il y a autant de manières de
mettre les valeurs en place que de sensi-
bilités. Dans ces travaux des élèves de
Martin Anton, nous en avons relevé deux.

Dans le premier cas, les valeurs naissent
du clair-obscur dans le sens classique du
terme (fig. 19). Le modelé apparaît par un
dégradé progressif de la couleur vers le
noir ou le blanc ; les ombres tirent vers
le gris et les lumières s'éclaircissent. Dans
le second cas, les valeurs sont données
par la couleur (fig. 20). Les ombres et les
lumières viennent de la couleur. Ce sont
des ombres bleutées, vertes ou brunes,
chaudes ou froides. C'est l'œuvre d'un coloriste.

21

Fig. 21. Jean-Baptiste
Chardin (1699-1779), *Na-
ture morte au chaudron
de cuivre.* Huile sur toile,
musée Cognac-Jay, Pa-
ris. Bel exemple du tour-
nant marqué par Chardin
dans la peinture des na-
tures mortes : le retour à
la source, à la réalité des
objets quotidiens. Il les
a toujours peints avec
amour, leur donnant tou-
te leur beauté, grâce au
jeu de lumières et d'om-
bres, grâce au clair-obs-
cur. Comme chez Zurba-
ran, l'éclairage intense,
les contrastes forts don-
nent aux objets leur vo-
lume.

Fig. 22. Maurice de Vla-
minck, *Nature morte*,
1906. Huile sur toile, collection privée, Paris. Comme Matisse, Derain ou
Van Gogh, il donne la
forme aux objets, leur volume, au moyen d'aplats
de couleur pure. Chaque
couleur, même si elle est
utilisée pure, a sa valeur
propre ; par exemple, un
jaune pur est plus clair
qu'un bleu pur.

Les rapports entre les couleurs

23

Avant tout, disons qu'une couleur n'est pratiquement rien en elle-même, qu'elle ne prend un sens que par rapport à d'autres couleurs. Les couleurs ont donc des rapports de dépendance mutuelle : par exemple, un rouge près d'un vert ne semble pas le même que lorsqu'il est placé près d'un jaune.

Cette dépendance mutuelle nous amène, entre autres choses, à parler des différentes façons de travailler la couleur. Chaque peintre, voire chaque tableau d'un même peintre, exprime des rapports de couleur différents. Schématiquement, on peut les classer en rapports d'harmonie et rapports d'opposition.

Les rapports d'harmonie s'établissent entre des couleurs de la même famille (gamme des jaune-orange-rouge, gamme des vert-bleu, etc.) ou de même valeur (couleurs claires ou foncées).

Les relations d'opposition se produisent entre des couleurs de gammes différentes (l'exemple le plus évident est celui des couleurs complémentaires : jaune-violet, rouge-vert, bleu-orange), de luminosités différentes, (une couleur claire avec une couleur foncée), ou de degrés différents (couleurs chaudes et couleurs froides).

De toute façon, on trouve dans un bon tableau ces deux types de rapport au sein d'un équilibre déterminé par l'auteur. C'est le cas dans *Tournesols* de Van Gogh, où la gamme chaude dominante est rompue en quelques points par une couleur froide.

24

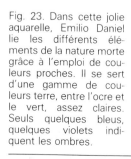

Fig. 23. Dans cette jolie aquarelle, Emilio Daniel lie les différents éléments de la nature morte grâce à l'emploi de couleurs proches. Il se sert d'une gamme de couleurs terre, entre l'ocre et le vert, assez claires. Seuls quelques bleus, quelques violets indiquent les ombres.

Fig. 24. Un petit bijou de Martin Anton ; je dis petit par la taille uniquement. C'est un bon exemple d'aquarelle, par sa couleur, sa texture, sa composition, par l'ensemble de ses qualités. Prenons la couleur. Nous observons que les couleurs froides du fond ne sont là que pour compléter et rehausser la chaleur subtile donnée par les blancs au premier plan.

Nous allons nous attacher, à travers [l']observation de deux travaux, à l'étude [de]s rapports de couleur. Le premier ta[bl]eau (fig. 23) nous montre l'harmonie ob[te]nue avec l'emploi de couleurs terre, des [oc]res et des rouges. Même le vert est un [ve]rt proche de l'ocre, un vert-terre. La vi[bra]tion de la couleur est rendue par [qu]elques ombres bleutées, violettes, dis[pe]rsées dans le tableau.

Le tableau, figure 24, est un bon [ex]emple d'aquarelle. Frais, lumineux, [no]us pouvons y voir la combinaison de [co]uleurs chaudes et froides. Disposées ha[bi]lement, elles permettent aux bleus [fr]oids, aux indigos du fond et des ombres, [qu]i occupent un grande partie du tableau, [de] faire ressortir la chaleur des blancs au [pr]emier plan. Ceux-ci s'intègrent alors [da]ns les couleurs chaudes de la bouteille [et] de la pomme.

26

Fig. 27. Henri Matisse (1869-1954), *Nature morte aux oranges*, Gallery of Art, Washington University à Saint-Louis, Missouri. La complémenta-rité est l'autre rapport possible entre les couleurs. Les Impressionnistes et les Pointillistes, par la juxtaposition de petites taches de couleurs complémentaires, obtenaient des gris. Matisse et les Fauvistes furent encore plus hardis. Comme vous pouvez le voir dans ce tableau, ils juxtaposèrent ou superposèrent de grandes taches de couleurs complémentaires pour donner ainsi un effet vibrant et expressif.

27

[Fi]g. 25. Exemple de cou[le]ur utilisée de manière [ex]pressive. La césure en[tre] le jaune de la poire et [le]s bleus du reste du ta[ble]au, peut produire des [im]ages suggestives com[m]e celle-ci. Pourquoi avoir [p]roduit cette relation si [op]posée entre le jaune et [le] bleu ? Il faudrait poser [la] question à Constans, [ar]tiste-peintre.

[Fi]g. 26. Vincent van [G]ogh, *Tournesols*, 1888. [H]uile sur toile, Vincent [va]n Gogh, Foundation na[tio]nal museum Vincent [va]n Gogh, Amsterdam. [Ob]servez attentivement [le]s coups de pinceau [fa]its et les couleurs [co]mposées de jaunes et [d']orange, avec juste une [pe]tite tache de bleu sur [un] des tournesols et sur [la] signature du vase. Par[fai]te harmonie de jaunes, [re]haussée par la pré[se]nce infime de cette [co]uleur complémentaire.

13

L'aquarelle, synthèse et interprétation des formes

Fig. 28. Une aquarelle de Carmen Notario où le bouquet de fleurs semble délié, comme s'il flottait dans l'atmosphère. Les fleurs, c'est-à-dire les taches qui représentent les fleurs, semblent se mêler, s'entrecroiser avec les taches du fond.

Fig. 29. Une exécution par touches très légères et très humides dans cet exercice de Josefa Duran. Voici un exemple où l'emploi de couleurs diluées fait que les objets du fond finissent par se confondre avec le fond lui-même.

28

29

Fig. 30 et 31. Comparons maintenant deux détails d'œuvres de Camps (fig. 30) et de Pepita Claret (fig. 31). Les exécutions sont différentes. Dans le premier cas, le peintre utilise avec une grande aisance la transparence de l'aquarelle, et trois couleurs lui suffisent à tout exprimer. Dans le second cas, le peintre ouvre des réserves, puis sur l'humide, mêle des touches floues à d'autres touches plus nettes.

Nous allons maintenant, tout au long de ce livre, uniquement parler de l'aquarelle et des possibilités concrètes qu'elle offre. Toutefois, avant d'entrer dans les détails, permettez-nous d'avancer quelques idées.

L'aquarelle est la peinture à l'eau par excellence, et elle a les qualités de l'eau. Elle est fraîche, douce, sensuelle, transparente. Elle intègre les couleurs, donne un dégradé, permet une fusion, ceci quasiment spontanément. En fait, ce n'est pas facile. Il faut pour cela dominer la technique, les mélanges, l'apport en eau. En vérité, il faut l'aider, mais seulement l'aider, il ne faut pas la tourmenter, ne pas insister, ce qui pourrait la faire changer de voie...

Observez ces deux travaux (fig. 28 et 29), la relation entre la figure et le fond : le modèle apparaît uni, intégré au fond. Les contours des objets se diluent, sans qu'il y ait recherche de continuité, ils se fondent dans le fond.

Ces deux détails révèlent deux manières d'exprimer le volume et la couleur. Sur le premier (fig. 30), le fond a été passé au lavis chaud, puis recouvert d'une couche

de lavis violacé où des trous ont été laiss[é] pour permettre au fond de respirer. L[es] dernières touches, les touches définitive[s] en vert foncé, délimitent les lignes et do[n]nent aux taches leur forme concrète. L[a] superposition rapide de ces trois couch[es] permet d'exprimer, d'une part, la forme [et] le volume du bouquet, d'autre part d'i[n]

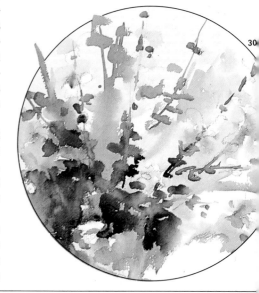

30

32

33

Fig. 32. Magnifique aquarelle d'Azor, autre élève de Martin Anton. Ici, sont exploitées un grand nombre de techniques allant de la touche directe sur papier sec au « gommage » par l'absorption de couleur, à la réserve de blanc (pour la fleur la plus haute, par exemple), jusqu'au mélange spontané (fond, feuilles vertes).

Fig. 33. Aquarelle de Constans, très délicate, aux couleurs estompées, travaillée presque en totalité sur fond humide. Quelques touches, quelques traits de pinceau précis et brefs construisent cependant les formes et les volumes.

Fig. 34. Paul Cézanne, *Roses dans un vase vert*, musée du Louvre, Paris. Les aquarelles de Cézanne sont très intéressantes. Leur exécution eut une grande influence sur tous les mouvements artistiques du XXᵉ siècle. Des taches très petites, des couleurs bien conçues, avec une réserve de blanc très vaste qui unit la composition et l'imprègne de lumière.

...ffler l'air entre ses fleurs vaporeuses. ...ans le second détail (fig. 31), la finition ...t plus concrète ; on voit clairement la ...rtie réservée au blanc du papier, des la... ...s successifs sur la fleur rougeâtre, et en... ...n, des touches sombres et très fines. Étu... ...ons concrètement sur une aquarelle ...mment repérer les traces laissées par le

travail sur fond humide (fig. 32). On voit les touches successives, les claires en premier lieu, puis les foncées. Elles se superposent et donnent un effet de transparence. Les réserves, les quelques endroits grattés où la couleur est effacée au point de n'être plus que suggérée, apparaissent à nos yeux.

34

31

Peindre tout en enseignant

Nous nous trouvons au sein du groupe des aquarellistes de Catalogne, institution prestigieuse, héritière d'une tradition vieille d'un siècle, dont nous avons déjà parlé dans l'introduction.

Nous sommes entourés d'élèves qui s'apprêtent à peindre des natures mortes ; c'est l'exercice pratique du jour, proposé par le professeur José Martin Anton, notre invité du jour. Nous allons suivre son travail de peintre en même temps que son cours puisqu'il va lui aussi peindre une nature morte.

Que Martin Anton peigne en compagnie de ses élèves n'a rien d'extraordinaire. Il le fait souvent. Au point qu'il lui arrive de peindre de deux à quatre aquarelles par jour, entre les cours du matin et ceux de l'après-midi. Le local est gai, bien éclairé, imprégné d'une ambiance artistique ; il est devenu son propre atelier. Il peut tout à la fois peindre, se concentrer, abandonner momentanément son tableau. Il parcourt le local, s'arrête auprès des élèves, les corrige, leur propose des sujets d'étude, et enfin leur donne les leçons.

Nous allons illustrer, pas à pas, sa façon de procéder pour que nous puissions, les uns et les autres, nous familiariser avec sa manière de peindre.

Curieusement, comme nous pouvons le voir sur la photographie ci-contre (fig. 37), le modèle est assez hétéroclite ; ce n'est pas une nature morte composée, mais un ensemble fait de fleurs, de céramiques, de récipients, de bouteilles et de flacons, de fruits et de carafes, qui, « curieusement », apparaissent placés les uns à côté des autres, ou superposés, sur un plan plus ou moins élevé, etc. Ceci afin de permettre aux élèves de choisir le fragment qui leur semblera le plus adapté.

Fig. 35 et 36. José Mart Anton, notre invité, pr fesseur du groupe de aquarellistes, est en tra de commenter et de co riger le travail d'un élève. C'est dans même atelier qu'il peindre une aquarelle c'est une loggia c donne sur une cour int rieure. On y a installé ur nature morte, le thèr de l'aquarelle, qui é éclairée par un foyer lumière chaude contraste avec le res de la salle d'étude (f 36).

Fig. 37. Voici la natu morte. Elle est comp sée d'objets nombreux variés qui vont d'une production en plâtre ju qu'à un pot contena une plante. Les élève comme le professeu vont choisir leur place.

L'œuvre de Martin Anton

38

39

40

Fig. 38 à 40. L'habileté, le métier et le talent sont autant de dénominateurs communs de l'œuvre de Martin Anton. Dans toutes ses aquarelles, on remarque la hardiesse et la spontanéité de son travail. Il explore tous les chemins offerts par cette technique. Dans la splendide aquarelle, figure 40, nous pouvons voir un travail réalisé presque en totalité dans une gamme froide de couleurs bleutées qui traduit l'atmosphère générale et permet d'intégrer les éléments de la nature morte. En contrepoint, la tache chaude des fruits contraste avec le reste de l'aquarelle et lui donne ainsi vibration, vie et composition. Une tache au fond, des réserves de blanc et le travail précis des nuances qui valorisent l'ensemble, suffisent à rendre, avec une grande fraîcheur, l'essence du sujet.

Premier stade: dessin, lavis, matériel

La séance commence. Le professeur Martin Anton et cinq élèves dessinent au crayon noir ordinaire et sur du papier de qualité moyenne, le même sujet ou un sujet rapprochant, un détail du modèle que nous reproduisons sur la photographie ci-jointe (fig. 41). Tous, le professeur comme les élèves, tracent les formes du modèle. C'est un dessin linéaire, sans ombres. Martin Anton dessine de manière déliée, vive, sans tenir compte du profil, du contour exact. Cela rappelle certains dessins de Maillol ou de Matisse. Mais Martin Anton va ensuite perfectionner la ligne, le trait, il va les affiner à la gomme, comme nous pouvons le voir à la figure 43.

La palette d'un élève attire notre attention. Il n'y a que six couleurs: les trois primaires, le bleu de Prusse, le carmin de garance et le jaune de cadmium moyen, plus le vermillon, le vert émeraude et l'ocre. Est-ce le choix de l'élève, José Maria Ugalde, ou une directive du professeur? Ugalde et d'autres élèves nous précisent qu'en début d'année le professeur leur a conseillé les couleurs les plus appropriées. Mais peu à peu, en cours d'année, ils ont adopté leur propre gamme de couleurs. Ugalde ajoute, qu'avec cette gamme réduite, il pense pouvoir mieux étudier la composition et le mélange des couleurs.

Fig. 41 à 43. Martin Anton dessine les silhouettes des objets qui entrent dans la composition qu'il a choisie (fig. 41). Il trace des lignes agiles et multiples (fig. 42). Il va ensuite gommer les lignes inutiles pour ne conserver que l'expression des formes la plus réduite.

Fig. 44. Voici l'essentiel du matériel de Martin Anton. Une palette de couleurs réparties selon leur degré. En haut, les couleurs chaudes, jaune citron de cadmium, orange de cadmium, vermillon et carmin de garance (plus deux carmins qu'il ne pense pas utiliser). En bas, les couleurs froides, vert émeraude, vert bouteille, bleu de cobalt, bleu de Prusse, indigo et, à l'extrémité de la palette, du rouge oxyde transparent. Enfin, le pinceau en poil de bœuf n° 22.

Il nous faut relever un autre aspect de [l]a pédagogie de Martin Anton : il exige [qu]e ses élèves emploient un pinceau nº 22, [c']est-à-dire un gros pinceau « qui élimine [dè]s le départ le défaut classique du dé[bu]tant qui a tendance à peindre des choses [pe]tites, des détails. Je l'oblige ainsi, dès le [pr]emier jour, à se libérer, à s'exprimer par [t]aches larges, peu concrètes, syn[thé]tisées... »

[M]artin Anton ne peint qu'avec le pin[ce]au nº 22. Il a bien à côté un pinceau plat [en] fibre acrylique au manche coupé en [for]me de biseau mais, selon ses dires, [c']est plus une amulette, une habitude, je [ne] m'en sers quasiment pas. Il m'arrive de [l'e]mployer pour absorber un peu de cou[leu]r ou pour fusionner des taches à la fin

nière froide, ni le contraire. C'est l'éclairage, l'atmosphère générale qui donnent, définissent l'harmonie des tons. »

Une fois le papier bien humide, Martin Anton s'arrête. Il attend qu'il ait un peu séché, ainsi la couleur qu'il va superposer ne coulera pas vers le bas. Il faut que le papier ait récupéré une partie de son pouvoir d'absorption. « On reconnaît ce moment quand le papier, encore humide, commence à devenir mat, sans zones brillantes » nous dit Martin Anton.

C'est maintenant que commence réellement l'exécution du tableau. Martin Anton nous montre là toute son habileté.

Fig. 45 à 48. Après avoir passé une couche sur tout le papier pour l'humidifier, Martin Anton va peindre avec des couleurs très aqueuses. Il peint successivement chaque objet en lui donnant sa propre couleur, en précisant sa forme à coups de pinceau. Pour donner sa lumière au verre, il réserve des blancs, il passe avec aisance la couleur sur le fond (fig. 46), sans se préoccuper de l'eau qui s'égoutte. Fig. 48, nous avons l'aquarelle à sa première étape. Les couleurs sont douces, mais il n'y a pas encore de définition de valeurs, les taches pénètrent les unes dans les autres.

 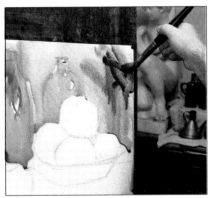 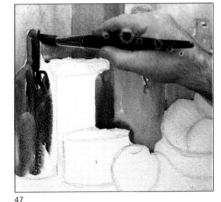

46   47

tableau ». Pour terminer, il se sert d'un [tis]su-éponge pour sécher ou nettoyer le [pin]ceau, et met dans un grand pot de l'eau [du] robinet.

[Pour commencer, il passe un lavis sur [tou]t le papier, plus pour le mouiller que [pou]r donner de la couleur. Le lavis est [ocr]e-jaune. Je questionne Martin Anton : [« C]ette première couleur conditionne-t-[ell]e la gamme que tu vas employer dans [to]n tableau ? » Il m'explique : « Oui. En [pr]incipe, peut-être en raison d'une [co]nception méditerranéenne du tableau, [je] pense employer des couleurs chaudes. [Ma]is, —précise-t-il— il faut concevoir le [ta]bleau dans son ensemble, d'une façon [ho]mogène. On ne peut pas dans une am[bia]nce chaude voir les objets d'une ma-

48

Deuxième stade : la couleur locale

Fig. 49. Martin Anton continue à passer la couleur, une couleur affaiblie très chaude qui s'harmonise avec les couleurs de la bouteille et des pots. Avec le pinceau très humide, il crée des tons pâles. Il importe peu que la couleur coule ou que la tache soit imprécise ; ce qu'il faut, c'est que le travail à venir soit bien préparé.

Martin Anton possède parfaitement son métier. Il peint, il passe la couleur tout en préservant les blancs, alors qu'il n'en est qu'à la première couche. « C'est l'étape de la couleur locale », explique-t-il, « c'est-à-dire la couleur spécifique à chaque objet, sans ombres ni lumières. » Cette étape est une phase transitoire du tableau. Elle permettra à l'artiste de travailler d'autres couches superposées à la première. C'est pour cette raison, que ces premières ébauches sont traitées en transparence ; elles réduisent la couleur locale à son expression la plus neutre tout en respectant l'intonation qu'offre chaque objet. Par exemple, la bouteille bleue est assez sombre, comme dans la réalité. Regardons de plus près comment se distribuent les tonalités du tableau. La bouteille verte la plus au fond et la bleue sur le côté sont traitées dans une gamme froide. Les objets au centre, pommes, bouteille marron, pots, réunis dans une masse compacte, prennent une gamme chaude.

« L'avantage quand on peint sur hu-mide, nous précise Martin Anton, c'e[…] que le papier sert de palette où la coule[…] se forme directement. » On assiste alor[…] cette espèce de miracle de l'aquarelle h[…] mide, ce mélange diffus de tons et de c[…] leurs, de taches dégradées, qui donne[…] l'aquarelle toute sa place dans la peintu[…] Cependant, il faut contrôler ces tach[…] ces fusions, ces dégradés spontanés afin […] ne pas détruire la forme, de la préserv[…] Nous allons voir Martin Anton mettre […] œuvre tout son savoir. Il tient un chiff[…] dans sa main gauche. Ici, il ajoute ; là […] intensifie, renforçant les tons et les c[…] leurs. De temps en temps, il sèche à de[…] son pinceau et absorbe la couleur, ou[…] des blancs, des espaces clairs.

Il va travailler maintenant toutes […] surfaces. Il passe de larges traits de p[…] ceau, ajuste les tons et les couleurs au m[…] dèle. Comme il nous l'a déjà dit, les c[…] leurs se construisent directement sur le […] pier en se servant d'un pinceau saturé […] peinture quasiment pure. Par exemp[…] sur la pomme de la figure 51, il dépose[…]

Fig. 50 et 51. Ces deux illustrations nous montrent comment Martin Anton se sert du papier, du blanc du papier, surveille le degré d'humidité pour créer et nuancer les couleurs. En un mot, le papier fait office de palette. Il passe différentes couleurs, très pures, et ensuite, avec le pinceau préalablement mouillé, les répartit. Il les dilue ensuite sur le papier pour obtenir des couleurs unies et donner ainsi un ton tout en nuances (fig. 50). Sur la figure 51, observez la pureté des couleurs employées pour peindre cette pomme. Il pourra, par la suite, les unir et les dégrader.

uche orange et jaune sur le papier, ouille le pinceau, défait ces touches en gradé, les mélange avec le blanc du pa- er, les estompe, les fond et obtient ainsi ton intermédiaire très transparent. tte manière de procéder lui permet de re sur le papier une foule de nuances btiles qui enrichissent la couleur du ta- eau.

Il est à noter une autre caractéristique travail de Martin Anton, visible à ce de du tableau (nous pensons qu'il em- iera la même méthode tout au long), st qu'il ne laisse jamais les taches de uleur délimiter les objets, mais au ntraire les étale. Avec le pinceau hu- ide ou sec, il s'efforce continuellement les unir. Il fond le jaune de la pomme vert de la bouteille, le carmin du fond ec la couleur de la carafe qui elle-même nètre dans la bouteille marron et dans petit pot.

Maintenant, le tableau est sur le point être achevé. Surpris, nous lui deman- ns ce qu'il entend par là. Il nous xplique : « Actuellement tout est encore mide, subtil, en attente. Rien n'est en- re fixé. C'est alors qu'il faut souligner, ais sans insister. » Certainement qu'il va falloir obscurcir, éclaircir, absorber ou uter, mais sans « torturer » ces taches

de couleur. Il lui faudra tout entreprendre à la fois. Ce qui veut dire en aquarelle, dans la plupart des cas, commencer et ter- miner une partie, un objet, au moment approprié, selon l'humidité, le hasard du mélange des couleurs. Dans ce sens, on comprend les propos de Martin Anton lorsqu'il nous dit « qu'il est sur le point de terminer ».

Fig. 52. Il humidifie le pinceau et rectifie le contour de la pomme. Il crée un demi-ton, combinaison du vert de la bouteille et du jaune du fruit. Il lie ain- si les différents volumes qui s'intègrent les uns aux autres.

Fig. 53. Sur ce petit réci- pient, il réserve un blanc qu'il n'avait pas prévu au- paravant. Le pinceau à demi sec, nettoyé et épongé soigneusement, il absorbe l'humidité de la peinture déposée sur le petit pot.

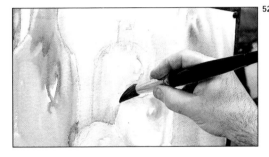

52

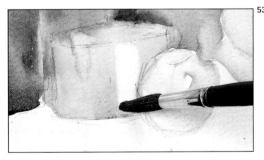

53

Fig. 54. A ce deuxième stade, toutes les cou- leurs sont pâles, peu dé- finies. Comme l'a bapti- sée lui-même Martin An- ton, il s'agit de la phase de la couleur locale. Cha- cun des objets a pris sa couleur mais dans une expression première, at- ténuée. On peut pourtant déjà percevoir la variété des nuances à l'intérieur d'une même tonalité et la définition générale de la gamme choisie. Une gamme chaude, corres- pondant à l'ambiance gé- nérale du tableau, où le fond froid crée un con- traste qui donne déjà au tableau un début de pers- pective.

54

Troisième stade : l'exécution picturale

Il redessine, repeint les couleurs et les formes du fond dans une gamme chaude de couleurs rompues. Observez sur la palette le mélange de ces couleurs, composé essentiellement de complémentaires (comme vous le savez, le mélange de couleurs complémentaires donne du noir). Lorsqu'on peint à l'aquarelle, il naît de ces couleurs ajoutées au blanc du papier, cette vaste gamme de couleurs sales, grisâtres, rompues.

Martin Anton passe d'une zone à l'autre. Comme nous pouvons voir, il traite d'abord les zones foncées du fond, puis les bouteilles, avec des touches saturées de peinture. Ensuite, il donne à la bouteille verte les transparences du verre en se servant d'eau, technique très appropriée à ce cas. Au pinceau, il relie le vert de la bouteille au jaune des pommes et obtient un vert clair, teinté de gris avec lequel il trace les contours des fruits qui prennent ainsi leur volume. Ensuite, en opposant habilement des couleurs contrastées, des jaunes chauds et des verts foncés, il construit le petit pot... Avec le pinceau, le chiffon, et de l'expérience, la peinture devient dense, grâce à la superposition de couches, on peut presque dire « pâteuse ».

Il sépare les fruits par des touches fortes qu'il peint de couleurs pures, orange, jaune, qu'il mélange ensuite entre elles avec précision. La peinture peut couler, peu lui importe. Il estompera et intègrera les couleurs. Martin Anton fait un va-et-vient continu du papier à la palette, au chiffon qu'il tient dans la main gauche, à nouveau du papier au chiffon, à tel point

55

56

57

58

59

60

Fig. 55 et 56. Il repein[t] fond avec des tons p[...] chauds. Puis en cons[er]vant la même coule[ur] sans lever le pinceau[, il] entreprend l'exécut[ion] de la bouteille en ve[...] lui donne du volume[...] obtient un ton différ[ent] entre le fond et la b[ou]teille grâce à la coul[eur] précédemment étal[ée]. Ensuite il peint la b[ou]teille verte avec un v[ert] bouteille intense. Le g[ros] pinceau lui sert aussi b[ien] pour les touches larg[es] que pour les touch[es] étroites.

Fig. 61. Voici la palette [de] couleurs rompues [de] Martin Anton utilise e[n ce] moment. Elle est bâ[tie] autour d'un mélange [de] couleurs complémen[tai]res dans des proporti[ons] différentes selon l'ef[fet] recherché.

Fig. 57 à 60. Un *pas à pas* sur l'élaboration du récipient décoré. L'artiste passe, au pinceau imprégné d'eau et de vert rompu (mélange de vert et d'orange), de larges traits de peinture sur la zone la plus foncée (fig. 57), tout en précisant les reflets et les réserves. Il nettoie son pinceau et prépare un marron foncé avec du rouge et du vert. Par pe-

tites touches, il repasse sur le vert humide. Ces touches se fondent dans le vert sans disparaître pour autant (fig. 58). Il prépare un vert foncé chaud qu'il dépose aux endroits appropriés pour reproduire l'ombre et la décoration (fig. 59). Pour finir, avec ce vert dilué, il place les ombres transparentes à l'intérieur du pot (fig. 60).

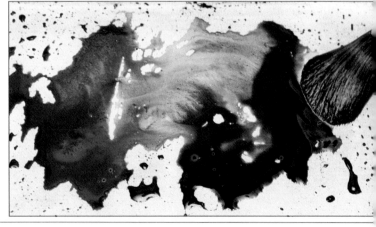

g. 62 à 64. Vous pouvez
ir ci-dessous, le pro-
ssus de l'exécution
s pommes. Il dépose
e couleur pure, nettoie
pinceau, dépose une
tre couleur pure, net-
e le pinceau, le charge
au ce qui lui permet
faire le mélange direc-
ment sur le papier. Les
uches zigzagantes sont
pides, fortes, nette-
ent visibles. Il les unit
ntre elles à l'eau, tou-
urs en zigzagant.

qu'on pourrait croire qu'il extrait de la couleur de celui-ci. « Bien sûr que non, je n'y prends que de l'humidité. Il est vrai que le fait d'absorber plus ou moins la charge du pinceau transforme le chiffon en matériel pour peindre. »

Essayons de regarder le travail de Martin Anton comme dans les séquences d'un film. Il commence par déposer la couleur, intense, presque stridente. Puis il peint un fruit dans un mouvement en zigzag. Il nettoie le pinceau à l'eau. Avec le chiffon il

absorbe l'excédent d'eau et dégrade. Il réserve un blanc pour le reflet, revient à la couleur, à l'eau, au chiffon. Il fusionne, il mélange à une autre couleur sur la « palette » du papier. Il revient à l'eau, au chiffon. On assiste à une suite de mouvements instinctifs, presque mécaniques « qui conduisent la main et l'esprit » comme dirait Hauser. Ses gestes, preuve de son métier, permettent à l'artiste de peindre avec comme seule préoccupation, l'interprétation, l'exécution et la création.

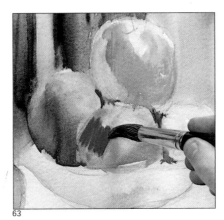
63

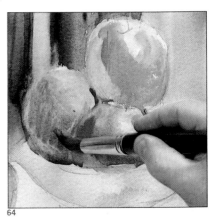
64

g. 65. A ce troisième
ade, le tableau prend
n allure définitive. Le
lume, l'éclairage et les
rmes se précisent. La
mme des couleurs est
ndée sur les mélanges,
us précisément le mé-
nge de couleurs rom-
ues. Le tableau est tra-
aillé dans son ensem-
e : la bouteille bleue,
ui est maintenant parfai-
ment mise en valeur
âce aux changements
btils de nuances ; le
oupe de pommes dont
présence est fortifiée
ar ce même travail de
ise en valeurs. Par ail-
urs, le peintre n'oublie
as la couleur, la variété
e nuances, comme on
eut le vérifier au premier
an, avec la pomme ou
bouteille marron. Les
bjets commencent à se
tuer à leur place, à oc-
uper un espace que
ous pouvons considérer
apparemment » comme
el.

65

Quatrième stade : volume, ombres et rapports

Martin Anton pense qu'il est préférable de peindre sur papier humide plutôt que sur papier sec, « quand le lavis commence à sécher, quand il commence à présenter une nuance mate ». Il revient aussi sur l'idée de fusion ; il faut fondre les couleurs voisines, ne pas enfermer les taches de couleur, ne pas découper les objets. Il insiste surtout sur l'importance de la mise en valeurs. En fait, il pense que la technique n'est pas très importante, qu'elle peut s'apprendre par le biais des cours et une pratique régulière. Par contre, le travail des valeurs est permanent. Dans ce domaine, il faut toujours apprendre, afin de renforcer, de structurer sa propre sensibilité à la couleur, à des gammes précises de couleur, sa préférence pour un rendu flou ou concret. C'est tout ceci que recherche Martin Anton dès la phase précédente.

Élèves et professeur, tous peignent avec un pinceau en poil de bœuf n° 22. Ils utilisent tous des couleurs crémeuses, un chiffon pour rincer et absorber les excédents de peinture et d'eau.

Pas de gomme liquide ou de cire pour placer les réserves. « Je ne le conseille pas, car l'élève perd l'habitude d'apprendre à faire des réserves de manière naturelle, en utilisant le pinceau pour préciser les contours ou pour absorber la couleur. »

« Est-ce que vous employez du papier absorbant comme celui qu'on a dans les cuisines ? » Il me répond alors rapidement : « Non, je n'ai rien contre, mais je pense que le tissu-éponge est mieux adapté, plus pratique et plus fonctionnel et aussi plus économique. »

« C'est maintenant le moment le plus agréable », nous dit Martin Anton, « nous arrivons sur la fin. » Certains peintres préfèrent la première phase, ils s'y sentent plus libres. Ils peuvent spontanément placer les couleurs. Pour Martin Anton, c'est ce dernier moment le plus agréable. Il s'agit de faire quelques retouches, de préciser les formes, d'interpréter les volumes et surtout de lier les objets entre eux.

Les ombres s'obscurcissent, mais res-

Fig. 66. Martin Anton ses élèves. Il corrige le travail alors qu'il est lu même en train d'exéc ter son propre tableau.

66

67

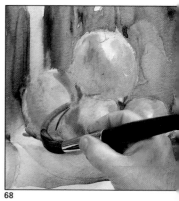

68

69

Fig. 67 à 69. Le travail des ombre Dans le premier cas (fig. 67), il place s la pomme une de ses propres ombre avec une couleur rompue chaude. Dar le second cas (fig. 68), avec une co leur beaucoup plus grisée et neutre, projette l'ombre d'une pomme s l'autre. Puis (fig. 69), il travaille les v leurs du compotier qui est dar l'ombre. Il dépose tout d'abord ur longue touche de peinture saturée q profile le compotier. Ensuite, il va dé layer cette touche, disperser la couleu qui, sur la couleur chaude et pâle d fond, paraît beaucoup plus faible.

nt transparentes. C'est une des qualités
ropres à l'aquarelle. Elle est accentuée
i par la couleur claire de la nappe, des
uits et de l'assiette qui efface les ombres
ortées. Les figures 68 et 69 nous mon-
ent comment Martin Anton unit, fu-
onne et relie les ombres. Il n'utilise qua-
ment que son pinceau. Il peint, efface,
osorbe l'excédent de peinture, répartit la
ouleur, dessine. Pour finir, il mouille le
remier plan du tableau et donne ainsi un
spect flou qui contraste avec les zones de
ouleur. Le tableau touche à sa fin.

70

71

Fig. 70 à 72. Enfin, il peint
le premier plan. Il com-
mence avec une couleur
chaude, jaune-orange, qu'il
laisse s'écouler jusqu'au
bas du papier. Ensuite,
avec une couleur absolu-
ment complémentaire, en-
tre l'indigo et le carmin,
un violet foncé, il peint
cette zone jaune, humi-
de, de la partie inférieure
du tableau. Ainsi, le premier plan est contrasté.
Figure 72, on peut voir le
tableau presque achevé ;
les volumes sont bien ren-
dus, il a placé toutes les
ombres portées. La feuil-
le est maintenant totale-
ment occupée.

72

Cinquième et dernier stade : peindre à l'eau

Eau, couleur, chiffon, eau, couleur... et dégrader, fondre, construire. Tandis qu'il peint le flacon en vert sur fond humide, avec un lavis de ton moyen, nous le voyons brusquement déplacer le pinceau vers le fond afin de casser le contour, le profil du flacon, et, ainsi, adoucir ce profil en le fusionnant avec le fond.

Il travaille maintenant la pomme verdâtre au premier plan ; pour faire son reflet : il humidifie et absorbe au pinceau rond. Le chiffon lui sert à modifier la forme du pinceau qui se transforme en pinceau en forme de langue de chat, un pinceau-palette. Il est à souligner qu'avec un chiffon humide, on peut affiner ou élargir le faisceau du pinceau.

Il reprend les pommes du compotier car l'ensemble ne lui paraît pas satisfaisant. Il passe d'abord, sans hésiter, des traits nets d'une couleur stridente. Il a choisi un vert émeraude pur qui, dans l'immédiat, surprend. Mais il va charger et lier ces traits avec du rouge ou du jaune : après avoir essuyé et trempé le pinceau dans l'eau, d'un mouvement rapide, il passe à grands traits ces couleurs, dans un graphisme délié et vif. Comme par magie, l'aspect trop éclatant s'efface ; les couleurs se fondent entre elles. Les pommes ont pris leur volume définitif, rendu avec vigueur dans une gamme de couleurs et de nuances encore enrichie.

Ces dernières touches exécutées, il va, avec le pinceau nettoyé, mouiller la feuille ; il élimine ainsi les aspérités, revient sur les objets, leur contour, leurs ombres. Il les rend moins durs, enlève leur aspect « métallique », et tout cela simplement en travaillant à l'eau. Le résultat, c'est une expression digne d'une bonne aquarelle, très travaillée certes, mais pleine de fraîcheur, suggestive, aérienne.

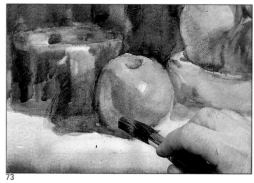

Fig. 73. Pour rendre le reflet produit par la nappe sur la peau de la pomme, il absorbe la couleur avec le pinceau à moitié sec qu'il a auparavant nettoyé et essuyé.

Fig. 74. Il compose sans cesse, en unissant les différents éléments, les couleurs. Puis, délaissant la bouteille qu'il était en train de peindre, ou plutôt de repeindre, il place sur le fond une longue touche qu'il diluera ensuite. Ceci afin de réduire l'importance de la bouteille.

Fig. 75. Il n'emploie qu[e] le pinceau pour absorb[er] la couleur. Il faut d'abo[rd] le nettoyer, puis l'ess[u]rer. Martin Anton dé[li]mite et rend ainsi l'aspe[ct] brillant du bord du ré[ci]pient près de la pomm[e] verte.

76

Fig. 76. On peut voir sur cette photographie l'aquarelle à son stade final. Le volume vient du contraste créé entre les couleurs chaudes et les couleurs froides, dans une gamme de couleurs rompues, ce qui n'est pas contradictoire. Si vous vous reportez au début du tableau, vous vous apercevrez que cette association apparaît dès l'application des premières taches de couleur. Cette première leçon de peinture, plus précisément de peinture à l'aquarelle, à travers le travail qu'a réalisé Martin Anton, nous montre un travail vif mais profond, dense. Il a su évoquer dans toute leur fraîcheur certaines parties, le premier plan, les ombres de l'assiette, de la pomme au milieu. D'autres parties, traitées par une superposition de couches qui donne une impression de volume, une intensité de couleur et une texture plus dense, rappellent inévitablement la technique de l'huile.

Une peinture intense

Dolors Raich partage son existence entre les obligations familiales et sa vocation artistique, même si, nous avoue-t-elle, la peinture tient une place grandissante. Cette vocation a été récompensée par de nombreux prix, par plusieurs expositions.

On est frappé quand on entre dans son atelier par tous les tableaux qui s'entassent et occupent tout l'espace. Dans cet espèce de « refuge », le sol, les murs sont éclaboussés de peinture (fig. 77), de même pour l'évier, la baignoire qui lui servent à « doucher » les œuvres dont elle n'est pas satisfaite.

Le thème et le matériel

Notre invitée prépare la nature morte qu'elle peindra à l'aquarelle. C'est une journée peu dégagée, elle va donc s'éclairer à la lumière arficielle que met en place notre photographe. « On prend des risques » ajoute-t-elle.

Sur un tiroir en bois recouvert d'une étoffe, elle place en désordre des objets dont l'aspect délicat rappelle la lumière : un siphon, un verre à pied et une bouteille en verre. A côté, elle met un bouquet de fleurs violettes et jaunes et des citrons (fig. 78).

Sur la table de travail, Dolors place cinq feuilles de papier Arches de 300 g, de 35 cm sur 50 cm et 50 cm sur 70 cm.

Elle emploie trois pinceaux : deux pinceaux ronds en poil de martre n° 10 et 11 et un pinceau plat en poil de porc n° 18, rarement utilisé pour l'aquarelle. Trois récipients en plastique contiennent de l'eau plus ou moins sale, ce qui lui permet, dès le début, de peindre et de dessiner avec trois tons différents (fig. 79).

Elle sèche et absorbe la couleur avec du papier ménager absorbant.

Enfin nous découvrons la boîte-palette composée de couleurs Winsor et Newton qu'elle a toujours utilisées. C'est un assortiment de couleurs composé de jaune de cadmium ou de jaune citron, d'orange de cadmium et de sienne rosé (en godets pour aquarelle sèche ou aquarelle humide), de jaune foncé, de sienne foncé, de rouge écarlate, de carmin de garance ou alizarine, de vert émeraude, de bleu de cobalt, de mauve et de noir (en tubes d'aquarelle en pâte).

Un crayon à mine graphite.

Fig. 77. On voit Dolo Raich travailler dans so atelier. Elle peint debou le papier fixé sur un planche en bois qui re pose à la fois sur le che valet et sur un tiroir. C'es ce qui lui sert de table Les éclaboussures d peinture sur les murs c la petite pièce où nou nous trouvons (6,07 m témoignent d'un trava persévérant. En effe Dolors Raich peint tou les jours, « plutôt le ma tin —dit-elle— quand l lumière qui entre dan l'atelier prend cett chaude teinte rosée qu me plaît tant... »

Fig. 78. Dolors Raich placé en face d'elle, re partis sur un tiroir couve d'une étoffe et sur le so les différents élément de la nature morte. C obtient ainsi une visio du sujet en plongée tou à fait originale. L'écla rage de l'ensemble, trè doux, presque sans con traste, émane de deu sources qui n'éclairer pas directement les ob jets mais dont la lumièr se réfléchit sur les murs

Fig. 79. Dolors a placé su la table tout le matérie qui lui est nécessaire. A premier plan, les cou leurs pour aquarelle, le pinceaux et le papier Derrière, les récipient d'eau et le papier absor bant.

L'œuvre de Dolors Raich

80

81

82

83

84

Fig. 80 à 84. Voici quelques tableaux de Dolors Raich. Elle se définit elle-même comme une artiste toujours en recherche, ayant plusieurs centres d'intérêt. Ceci l'a conduite à essayer des techniques et des matériaux différents. Nous ne nous étonnerons donc pas de la diversité des toiles : des natures mortes, des paysages à l'aquarelle (figs. 80 et 81) ou à l'huile (fig. 83) ; certaines mêmes, exécutées à l'acrylique ou avec des matériaux mixtes... Ces derniers comme le ciment ou le Latex donnent des textures dont la qualité renforce la tendance à l'abstraction et à l'expressivité. Mais, comme nous pouvons le voir aux figures 82 et 84, la réalité y est toujours présente grâce aux fleurs, aux plantes. Ce qui n'enlève rien au but de Dolors qui est « de faire de la peinture, un exercice de liberté ».

Tirer la leçon de ses erreurs

Fig. 85. Dolors commence cette première esquisse en peignant directement le papier sans dessin préalable. On dirait qu'elle dessine et qu'elle peint en même temps. Avec le pinceau en soie de porc, elle étend le lavis verdâtre du corps de la bouteille. Dolors contrôle le degré d'humidité de la tache de couleur afin d'obtenir les différences de ton qui évoqueront le volume et la transparence de la bouteille.

Dolors Raich base son système de travail sur la rapidité d'exécution. En une seule séance elle réalise plusieurs aquarelles, ce qui lui permet d'entrer peu à peu dans le sujet. Dolors Raich est une artiste à l'affût de ses erreurs, de ses défauts, car c'est d'eux qu'elle tire le plus d'enseignement.

Sans aucun dessin préliminaire, elle commence à peindre la première aquarelle : le siphon et le verre. D'un coup de pinceau énergique, exécuté au pinceau plat, elle peint le corps transparent de la bouteille, d'un ton verdâtre en laissant la

tache s'étendre, s'estomper (fig. 85) ; avec le même pinceau, elle prend un peu de sienne et ébauche le sommet de la bouteille pour, ensuite, peindre précisément le bec et le manche avec un pinceau rond chargé de rouge et d'orange.

Trois traits déliés et elle a dessiné le verre, dessin un peu disproportionné qu'elle réduit immédiatement afin de le corriger. Cette manière directe de préciser la silhouette des objets, très spontanée mais aussi très hardie, est une des formes du « courage » que Dolors montre dans son exécution.

Elle poursuit son travail. Avec le pinceau plat, chargé d'une couleur orange très transparente c'est-à-dire très diluée, elle complète le verre. Elle renforce le volume de la bouteille en le profilant d'une ligne foncée. Puis sur la droite du papier, elle trace la ligne horizontale qui sépare les plans du fond (fig. 86). Ensuite avec un pinceau rond, elle étale et mélange les différents tons du tissu, plus froids à droite et plus chauds à gauche. Elle prend de nouveau le pinceau plat et ajoute sur le fond un lavis de taches verticales et horizontales, aux tons très transparents qui laissent respirer le blanc du papier. Elle donne ainsi la dernière main aux objets.

Enfin, par des traits fermes et irréguliers, Dolors griffonne l'aquarelle au crayon moyen. Ce procédé suprenant et très personnel lui permet de compenser le

85

86

87

Fig. 86. Après avoir peint la bouteille et le verre, Dolors peint le fond. Curieusement, elle commence à travailler sur la droite, en mélangeant un ton foncé qui existait comme base avec un ton rougeâtre qu'elle rajoute. Elle utilise au mieux les possibilités qu'offre la technique sur humide.

Fig. 87. Voici la première esquisse terminée. Elle a peint très rapidement cette simple nature morte qui présente un défaut évident : une disproportion dans le dessin du verre qui a un pied trop court. Dolors Raich décide alors de recommencer immédiatement une autre nature morte.

le relatif de la zone supérieure gauche, aussi, de marquer les ombres de la bou-lle et du verre. « Ce type de dessin m'a lu des reproches —nous dit-elle— mais m'est nécessaire. »

Dolors Raich trouve que cette première ivre (fig. 87) est trop simple dans sa nception et d'une couleur assez pauvre. le la range donc sous la table et se dé-le à en peindre une autre.

On retrouve dans cette séance le climat liberté dont Dolors Raich a besoin ur bien peindre. Maintenant elle choisit s modèles plus suggestifs, le bouquet de urs et les citrons. Il lui semble, en tre, intéressant de changer l'éclairage. le place la nature morte devant la fe-tre qui descend au ras du sol. Les objets nt ainsi en léger contre-jour, ce qui les richit.

Elle prend une feuille de grande taille. le peint le vase, au centre, d'une tache isâtre, assez diluée, qu'elle étend au pin-au plat. Dolors procède par touches ir-gulières, informes, qui annoncent un re-arquable exercice de dessin et de pein-re (fig. 88). Il ne fait aucun doute que olors, dans ce type de sujet, trouve le dre idéal pour exercer sa spontanéité. e vert, le violet et l'orange offrent ainsi éventail lumineux de fleurs, de feuilles de branches.

Elle peint maintenant les citrons qui nt naître, grâce à son expérience, de ux taches orangées. Elle étale la cou-ur, peint et dessine en même temps. Elle ur donne forme avec le pinceau le plus et met le volume en évidence en ab-

sorbant avec le papier ménager un peu de couleur, c'est-à-dire qu'elle crée des lu-mières.

Totalement concentrée, Dolors perd la « notion du temps ». Elle ne quitte des yeux ni le modèle ni la palette d'où elle extrait les couleurs avec fougue, en chan-geant souvent de pinceau.

Elle termine à nouveau par le fond, le sol et le mur qu'elle harmonise dans une gamme de tonalité chaude et elle grif-fonne l'aquarelle (fig. 90). « Comme dans les dessins de Giacometti, nous dit-elle, je cherche, je cherche toujours... » Dolors Raich n'a pas pour habitude de signer ses œuvres, car elle considère que l'important c'est l'œuvre ; mais ses traits de graphite sont plus qu'une signature...

Dolors nous propose une pause. Elle al-lume une cigarette et regarde la dernière aquarelle (fig. 90). Celle-ci lui plaît da-vantage, elle décide pourtant d'en faire une troisième qui intègrera le premier thème : le siphon et le verre, objets trans-parents qui amèneront un contraste inté-ressant.

Fig. 89. Pour terminer cette esquisse et avec sa manière très personnelle qui lui a été souvent re-prochée, elle dessine plu-sieurs traits de crayon sur l'aquarelle. En dehors de leur effet décoratif, ces lignes nerveuses, un peu compulsives, animent l'en-semble et en sont la conclusion.

Fig. 90. Dans ces diffé-rentes esquisses, Dolors s'essaie à la composition, au dessin et à la couleur. Cela peut entraîner quel-ques erreurs, mais, en définitive, c'est ce qui est le plus instructif. Cette aquarelle nous semble beaucoup plus réussie que la précédente, sa to-nalité est plus variée et plus riche. Toutefois, Do-lors paraît disposée à en peindre une autre.

88

90

89

. 88. Maintenant, Do-s concentre son atten-n sur le bouquet de urs auquel elle ajoute ux citrons qui complè-nt le sujet et le rendent s gai. Elle a com-encé par le vase pour indre ensuite les fleurs 'elle déploie sur le pa-er comme un éventail. lors suggère les for-es plutôt qu'elle ne les nne.

La version définitive

91

Fig. 91. Ci-contre, le modèle au complet qui servira à la dernière version de la nature morte à l'aquarelle. Dolors a pris le parti de réunir les deux croquis en un seul : pour cela, elle a placé sur la caisse le bouquet de fleurs, un citron, le siphon et le verre à pied. Elle travaille en alternance les objets et marque ainsi les qualités froides du verre et le coloris plus voyant et plus chaud des fleurs et du citron. On observe le même contraste entre l'étoffe et le mur. Dolors conserve un éclairage indirect ; elle évite ainsi le contraste que donne une lumière trop forte, dirigée sur le modèle.

92

93

Fig. 92. Dolors peint d'abord l'ensemble des objets à droite : le citron, le siphon et le verre. Cette fois-ci, elle ne prend pas chaque objet séparément. D'emblée, elle travaille l'ensemble avec une gamme de tons assez chauds qui donne une harmonie aux objets. Ce sont des tons assez clairs sur lesquels elle pourra, par la suite, passer des couleurs plus intenses.

Fig. 93. Pour prolonger la relation existante entre les zones orangées du siphon et du verre, Dolors peint le citron dans le même ton. Elle part d'une tache aux contours imprécis et la travaille avec le pinceau plat. Elle étale la couleur jusqu'à obtenir la forme du citron. Ensuite, avec du papier absorbant, elle fait apparaître peu à peu les lumières qui donnent au citron son volume.

Avant de commencer cette autre aquarelle, Dolors Raich nous indique clairement dans quel état d'esprit elle l'entreprend : « Je travaille sans a priori. »

Après avoir observé les premières esquisses, elle place toute la nature morte sur la caisse (fig. 91). Et cette fois, peut-être afin d'éviter de commettre de nouvelles erreurs, vu le nombre d'objets qui entre dans cette nature morte, elle va établir la composition par avance. Elle dessine donc les objets au crayon, très légèrement, elle les suggère plutôt.

Comme dans le précédentes aquarelles, elle passe un lavis clair sur le corps du siphon, très clair et d'un ton sale, en touches larges (fig. 92). Elle n'insiste pas, et dessine le verre avec des coups de pinceau déliés.

Puis elle peint le citron selon la même méthode que précédemment (fig. 93), pour reprendre ensuite le siphon. Elle travaille le détail de la tête avec le pinceau

rond. Elle choisit comme base un ton chaud et ajoute ensuite des touches sombres, ce qui donne au mélange un ton terre rompu (fig. 94).

Elle continue avec le verre à pied. Elle étend une couleur rougeâtre qui rappelle celle de l'anse du siphon (fig. 95). Sur le pied du verre, comme pour nous signifier que ce travail prend fin, elle trace quelques traits noirs (fig. 96).

Le siphon, le verre et le citron s'unissent dans une délicate harmonie de tons. La composition en pyramide renforce cette unité. Dolors est très claire sur ce point : « J'essaie que le tableau soit un univers, avec sa propre atmosphère. » Il s'agit donc d'une peinture de sensations, sans rapport direct avec le modèle. Celui-ci n'a qu'un rôle de référence dont elle s'éloigne lorsqu'elle le juge nécessaire. Comme elle le souligne : « Je règne en maître sur mon tableau. »

94. Dans un premier temps, elle a jeté les bases de la forme d'ensemble et de la couleur. Maintenant, Dolors va peindre quelques détails. Au pinceau rond, elle peint la tête du siphon d'un ton plus foncé, qu'elle laisse se fondre dans le ton initial, tout en surveillant constamment le résultat obtenu.

95. Dolors poursuit. Elle peint l'intérieur du verre d'un ton rougeâtre qu'elle étend au pinceau. On retrouve ce ton à la base du verre. Par ces détails, Dolors essaie de réunir les trois éléments, le siphon, le citron et le verre dans un ensemble.

96. Elle termine cet ensemble par deux lignes un peu espiègles, à la base du verre. L'aquarelle est une technique qui ne permet pas de retour en arrière ; par conséquent, il est important de savoir ce que l'on veut. Toutefois, chez Dolors l'idée directrice s'affine au cours de la réalisation et c'est ce qui explique que chaque aquarelle soit meilleure que la précédente.

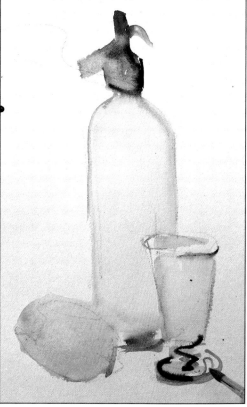

Une peinture gaie

97

98

Dolors s'apprête à peindre le vase, elle prend le pinceau dans une main et le papier absorbant dans l'autre. C'est un sujet qui, comme nous l'avons déjà indiqué, permet à l'artiste de démontrer sa vivacité, sa liberté et sa spontanéité.

Trois taches d'un ton terreux, avec un soupçon de bleu, rappelant parfaitement la porcelaine lui suffisent à faire surgir le vase (fig. 97). Avec le même pinceau chargé de vert, elle place quelques touches pour les feuilles (fig. 98).

Elle s'arrête soudain de travailler pour changer l'eau. Elle déteste interrompre son travail : « Il ne faut pas perdre son élan », nous dit-elle ; mais elle a besoin de tons très propres pour les fleurs.

Avec le pinceau en soie de porc (fig. 99), elle peint en violet les pétales de la première fleur. Elle exploite à fond les possibilités qu'offre ce pinceau : sa touche large d'origine, les formes les plus variées qu'il peut prendre, étroit, arrondi, irrégulier, etc. Elle va donc jouer de ses différentes possibilités et peindre d'autres fleurs (fig. 100).

Après plusieurs exécutions d'aquarelle, Dolors a affermi et assuré ses touches de

99

100

Fig. 97. Dolors commence la peinture du vase. Cette fois, elle a exécuté un dessin préliminaire qui lui permet d'arrêter les proportions entre les différents objets dès le début de son travail.

Fig. 98 à 100. C'est da la peinture des fleurs q le talent de Dolors Rai s'exprime le mieux. L tiges, les feuilles et l pétales sont l'occasi pour elle d'appliquer to un répertoire de form et de couleurs dont les gures 98, 99 et 100 fo nissent de bons exe ples. Remarquons qu'e s'est toujours servie même pinceau.

101 et 102. L'aqua-
e est une technique
le hasard et le savoir
combinent de façon
ange. Le peintre doit
pter la technique à
choix, mais il doit
si savoir discerner les
its avantages concrets
e ce moyen lui offre et
tirer parti. On verra
ux exemples (fig. 101
102) qui illustrent ces
pos. Dans le premier
, Dolors trace ferme-
nt quelques lignes, dans
but précis. Dans le
ond cas, les taches
nes et orange parlent
les-mêmes, et Dolors
laisse se répandre
s librement sur le pa-
r.

peinture. Elle travaille pourtant toujours sur le même rythme rapide.

Dolors pratique l'aquarelle humide, technique qui demande au peintre une grande attention à l'égard de l'évolution des taches de couleur une fois posées sur le papier. Les effets obtenus ne sont pas définitifs. Au contraire, la fluidité de ce procédé entraîne des effets nouveaux et inattendus tout au long de la séance. Il faut donc travailler rapidement, connaître le bon degré d'humidité. Dolors Raich accentue encore la rapidité d'exécution habituelle pour l'adapter à la vivacité, la liberté, l'aisance qu'elle recherche dans sa peinture. Les figures 101 et 102 en sont deux magnifiques illustrations.

On a l'impression, de temps en temps, que les pinceaux de Dolors se battent avec les petits godets de peinture (fig. 103). Ce détail qui peut sembler anecdotique prend tout son sens chez l'artiste : « Le pinceau se charge irrégulièrement, d'un côté plus que d'un autre, dit-elle, c'est ainsi qu'en l'appliquant j'obtiens des effets très intéressants. »

Pour terminer, elle renforce les ombres et assombrit la partie centrale du vase avec un ton sienne violacé, mais toujours avec le souci de laisser respirer le blanc du papier.

Fig. 103. Dolors Raich laisse les couleurs se mélanger sur le papier mais elle cherche aussi sur la palette le ton dont elle a besoin. Quand elle mouille le pinceau dans les godets de peinture, il se charge de façon inégale, ce qui enrichit les touches.

Fig. 104. Pour finir, Dolors peint le centre du vase avec un ton foncé, couleur de terre. En recouvrant ainsi le blanc du papier, elle donne aux tons qu'elle a employés autour un aspect plus lumineux.

Les détails et la finition

Dolors Raich a peint ses différents éléments les uns après les autres et va terminer par le fond. Grâce aux esquisses qu'elle a déjà faites, elle sait comment traiter cette partie.

Dolors sépare le fond en deux plans : l'étoffe et le mur, par une large touche qui va de gauche à droite. Elle tient compte de la tendance pastel du thème qui n'est troublée que par la luminosité des fleurs et du citron. Ensuite, pour l'étoffe, elle emploie des tons violacés qu'elle étend avec un pinceau sur tout le bas du papier (fig. 105 et 106). Sa touche large, chargée de façon inégale, s'avère encore une fois capable d'offrir une plus grande variété dans la qualité des taches.

A·nouveau, elle trace cette « ligne de terre » au noir, maintenant plus étroite et plus accusée, bien qu'elle la laisse couler sur le papier humide pour qu'elle ne produise pas un effet de contraste trop voyant (fig. 107). Pour finir, elle couvre le fond avec une série de touches violacées très transparentes qu'elle applique verticalement et horizontalement. Ces touches forment une légère structure qui consolide l'ensemble (fig. 108).

Cette fois-ci, Dolors Raich est plus satisfaite du résultat bien qu'elle ne soit pas tout à fait sûre de la qualité de l'œuvre. « Il faut que je la laisse refroidir. » Tout en nous parlant, elle continue à regarder l'aquarelle. Il s'agit d'une œuvre simple, très délicate et de grande sensibilité (fig. 109). Puis elle signe dans la partie inférieure droite « pour terminer la composition », dit-elle.

Fig. 105 et 106. Do[l]ors Raich complète l'aqu[a]relle. Elle peint le b[as] avec un ton qui s'harm[o]nise avec la gamme [do]minante. D'abord, [elle] trace une ligne large [qui] sépare cette partie [du] reste (fig. 105). Ensu[ite] elle couvre le blanc av[ec] un ton violacé très tra[ns]parent qu'elle étend [au] pinceau de droite à ga[u]che, et vice versa (f[ig.] 106).

Fig. 107. Sur ce détail, [on] peut apprécier les eff[ets] produits par des touch[es] données sur fond [hu]mide. Les lignes et [les] taches, d'abord b[ien] concrètes, se diluent [ra]pidement et devienn[ent] floues. On obtient a[insi] cette peinture d'atm[os]phère qui caractérise [seu]lement l'aquarelle.

Fig. 108. Dolors term[ine] cette aquarelle en [pei]gnant le fond. Elle ne [le] recouvre pas comple[tè]ment mais laisse qu[el]ques blancs, tout pa[rti]culièrement autour [des] objets qui se détach[ent] ainsi sur le fond. Les c[ou]leurs des objets se d[éfi]nissent par rapport [à] celles des voisins.

105

106

107

108

Fig. 109. Voici la version définitive, l'œuvre achevée. Il s'agit d'une peinture simple, très délicate et subtile, qui met les petits détails en valeur sans pour cela oublier l'harmonie générale de l'œuvre. Cette harmonie se .renforce avec la gamme des tons pastel qui passent lentement de la lumière à l'ombre et du chaud au froid. Cette fois-ci, Dolors Raich, afin de ne pas rompre cette harmonie dominante, a préféré ne pas dessiner dessus.

Le peintre, l'atelier, le matériel

110

Aujourd'hui, par une chaude journée ensoleillée du mois de juin, nous nous trouvons chez Amadeu Casals. Sa maison, située dans un village près de la mer, lui sert aussi d'atelier. Casals, peintre célèbre, ne s'inscrit pas dans la trajectoire classique de la peinture figurative. Il possède un style très personnel qui, au départ, pourrait le rattacher à l'œuvre de Matisse, pour rejoindre ensuite celle de Raoul Dufy par le graphisme et la fraîcheur des couleurs. Cependant, Amadeu nous dit qu'il se sent plus proche de l'époque post-cubiste de Braque et déclare que c'est le travail « d'après le Cubisme » du peintre français, ami de Picasso, qui l'a motivé et l'a aidé à trouver de nouveaux modes d'expression.

Comme la plupart des peintres, Casals a commencé à se consacrer à des études d'après nature. Il a produit alors des aquarelles peintes uniquement en noir, qui représentent 500 heures de travail. A peine peut-on les distinguer de photographies en noir et blanc. Mais très vite, Casals s'est mis à la recherche d'autre chose ; il s'agira de compositions différentes, libres et poétiques, proches des cadrages photographiques actuels mais toutes, pleines de lyrisme.

Son atelier est très agréable, il est éclairé par de grandes baies et possède une mezzanine d'environ 9 m² qui lui sert de salle d'exposition. Nous y voyons surtout les tableaux qui ont été primés. Amadeu vient d'ailleurs de recevoir le prix Ynglada Guillot, récompense importante, pour une œuvre à l'encre de Chine et au lavis dont la composition est simple, austère, presque abstraite. Son atelier, en bas, mesure environ 30 m².

Amadeu Casals nous propose de suivre un plan un peu différent de l'explication *pas à pas* d'une œuvre précise, car sa méthode de travail est tout autre.

En effet, il ne cherche pas « l'œuvre

Fig. 110, 112 et 11: Amadeu Casals chez lu dans son atelier. C'est u atelier vaste, bien éclairé aménagé avec un excel lent goût, il est aussi très bien pensé au point d vue pratique. Haut de pl fond, avec de grande baies, une cheminé étonnante et une mezz nine qui sert de sal d'exposition ; on trouv au milieu une table de tr vail. Amadeu nous e plique sa façon de trava ler, entouré de quelque uns de ses tableaux q pour certains sont e cadrés, pour d'autre simplement fixés sur ur planche par des p naises.

Fig. 111. Sur sa table c travail, Amadeu a à s disposition un matéri important qu'il n'utilis pas toujours dans sa t talité. Aujourd'hui, il s sert de la palette centre avec des tubes c couleurs : jaune citro jaune de cadmium, roug de cadmium, violet de c balt, indigo, gris de Payr et bleu turquoise. Noto encore, deux flacor d'eau, des pinceaux c toutes sortes et de to tes grosseurs, des p ceaux-brosses larges.

111

chevée », mais exécute de nombreuses études ou essais sur le même thème ; dans cette production il sélectionne les plus intéressants et les considère alors comme ses « œuvres définitives ». Nous allons donc essayer de suivre sa méthode. Mais d'abord, regardons quelques-unes de ses œuvres. Ensuite, au lieu de suivre *pas à pas* la réalisation d'une aquarelle, nous ferons un reportage commenté et illustré sur la réalisation d'un essai. Enfin, nous vous présenterons cinq aquarelles qui sont en fait cinq essais sur le même thème.

Casals a une profusion de matériel qu'il sélectionne selon ses besoins.

Il va peindre sur un papier Fabriano, de 70 cm sur 100 cm, qu'il punaise sur la planche en bois. Au centre de la photographie (fig. 111), se trouve la boîte-palette qu'il va utiliser. Elle se compose de couleurs crémeuses, en tube : jaune citron, jaune de cadmium, rouge de cadmium, violet de cobalt, bleu de phtalocyanine, bleu outremer, bleu de cobalt, vert émeraude, vert de cobalt, indigo, gris de Payne et bleu turquoise. Il se sert de gros pinceaux n°s 18 et 24, de pinceaux-brosses larges, l'un surtout n° 30. Au cours de la séance, nous le verrons utiliser d'autres matériels, un cutter, un petit tube d'encre de Chine, une baguette en bois, etc.

Le modèle de sa nature morte est composé d'éléments assez originaux (fig. 114) : deux parapluies, un siphon, un vase, quelques fruits et un papier plié dans le fond, bien droit. Il l'illumine avec une lumière artificielle latérale, il est maintenant tout à fait prêt pour réaliser l'un de ses essais.

113

114

Fig. 114. Amadeu s'inspirera de cette nature morte pour peindre une aquarelle. Il a réalisé d'autres aquarelles sur ce même thème en changeant souvent la disposition des éléments. Toutes ces aquarelles et celle qu'il va réaliser aujourd'hui font partie du vrai processus de création, tel que l'entend l'artiste ; c'est un *pas à pas* qui porte sur plusieurs œuvres. Nous remarquerons le papier plié, en position verticale qui sert de fond et la disposition très spontanée et naturelle des fruits. L'éclairage, de côté, est donné par une lumière blanche et forte.

Des œuvres d'Amadeu Casals

115

116

117

119

115 à 119. Des pay-
es, des natures mor-
. tout est prétexte à
improvisations lyri-
s. Tout est exprimé
manière poétique,
peu concrète. Les for-
mes s'unissent grâce à
la couleur et à un dessin
appuyé. Cette œuvre très
suggestive est structu-
rée comme un tout abs-
trait, comme une pein-
ture où la tache de cou-
leur et le graphisme pren-
draient plus d'importan-
ce que le sujet lui-même.
Des compositions surpre-
nantes, sans horizon, des
études en noir, une fu-
sion subtile de couleurs
humides, des touches vi-
goureuses de couleur
noire, des objets tron-
qués, des lignes in-
tenses et des aplats de
couleur. Le désir de
peindre l'emporte sur le
désir de représenter.

L'interprétation

Ce reportage portera sur l'exécution d'un des essais d'après la nature morte illustrée à la figure 114. Observez la technique, la méthode, les procédés qu'emploie Casals, en ayant toujours présent à l'esprit qu'il ne s'agit pour lui que d'un essai. Admirons maintenant l'aisance prodigieuse de ses touches, la légèreté des taches et imaginons l'aquarelle pleine de fraîcheur qui va en sortir. Nous allons apprendre, à travers cette séance, de nouvelles méthodes de travail,

120

n'oublions pas que c'est aussi son but.

Après avoir mouillé le papier avec une serviette, Amadeu Casals charge le pinceau de couleurs pures. D'abord du jaune, ensuite du jaune et du rouge, puis, après avoir nettoyé son pinceau, il le charge de vert émeraude. Avec chacune des couleurs, il place trois grandes touches qui évoquent les fruits et le siphon. Il ne dessine pas, mais tache le papier dans son centre.

« Je veux réussir grâce à la couleur. Alors, dès le début, j'attaque le travail de la couleur. » Très vite il ouvre des blancs avec la lame du cutter (fig. 121). Il passe ensuite une tige en bois chargée d'indigo qu'il frotte sur le papier (fig. 122).

Amadeu commente son travail : « Ces premières touches vertes ne rappellent en rien un siphon. Je ne vais pas les contrarier. Tout simplement, je ne vais plus peindre un siphon, je vais peindre autre chose. Quant à ces frottis, qui n'ont normalement rien à faire là, ils vont me per-

122

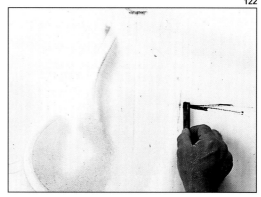

121

123

Fig. 120. Après avoir humidifié le papier il a peint les fruits et le siphon. Au pinceau-brosse large, il a fait des taches abstraites de couleurs pures.

Fig. 121. Sur la peinture encore humide, il ouvre des blancs au cutter.

Fig. 122. Il prend al une petite tige en b chargée de couleur sc bre avec laquelle il tr des frottis horizontau⟩ droite du siphon.

Fig. 123. Avec le pince brosse le plus gros, suggère la forme du rapluie, des touches longées pour le man⟨ et des touches plus ges pour la toile.

mettre de créer un contraste avec la pâleur des fruits. » Amadeu Casals n'est pas pour une représentation exacte du modèle. Pour lui, il faut essayer de créer les formes et les contrastes qu'ils soient ou non dans le modèle mais que celui-ci nous suggère.

« Il faut toujours procéder ainsi —dit Amadeu— des taches nous interpellent et il faut leur répondre ! Il faut aussi en aquarelle tenir compte du chromatisme, comme dans la peinture à l'huile. Il faut saisir ce que l'on veut, sans rester trop près du modèle. »

Maintenant, sur le fond, au pinceau-brosse le plus large, il trace des lignes et des taches ; il étale d'abord la couleur dans le sens horizontal qu'il étend ensuite dans le sens vertical, de haut en bas. Autour des fruits, il réserve des blancs dont la

forme n'est pas arrondie mais présente des coins anguleux. Casals fait remarquer que les fruits peuvent être arrondis ou entourés de blancs anguleux... C'est le Cubisme qui nous a transmis cette liberté d'interprétation.

En bas du tableau, il a placé des touches allongées pour situer le manche du parapluie, des touches arrondies et larges pour marquer la toile. Mais ce n'est que l'évocation d'un parapluie.

Ensuite il prend la petite tige en bois qu'il charge de peinture et dessine la forme du bouchon ou du goulot du « siphon » qui n'en est plus un ; il a frotté ces lignes délicatement. Il s'arrête un instant pour réfléchir et nous en profitons pour prendre une photographie du tableau.

Casals dit alors : « Il ne faut pas se presser. On a l'habitude de penser qu'en aquarelle, il faut aller vite. Pas du tout. Quand on peint en atelier, il faut maîtriser son œuvre. Il faut l'observer, la contempler, la regarder vivre. Il faut l'appréhender en se situant à l'intérieur et à l'extérieur. C'est ainsi qu'on prend conscience de ce que l'on veut : insister sur ceci ou cela, intensifier ici ou là. Si le peintre travaille en copiant le modèle, il n'est rien d'autre qu'un appareil photographique. »

124

125

Fig. 124. Avec le même pinceau-brosse, il tache tout le fond et profile le papier qui est derrière. Il suscite un espace en créant un rapport entre différents plans. Il étend d'abord horizontalement une couleur bleutée et délavée qu'il laisse couler afin de pouvoir continuer à tacher ce fond.

Fig. 125. Avec ces premières taches, Amadeu définit son œuvre : « Sa-

voir toujours où l'on va, sans rester trop près du modèle. » Les fruits prennent des découpes anguleuses. On ne voit plus qu'un parapluie, le vase a disparu... Le siphon n'est plus un siphon. « La première touche m'a suggéré un autre objet », nous dit-il. La composition est simple, très centrée. Les couleurs claires et bien définies des différents plans nous invitent à poursuivre.

Liberté de la couleur

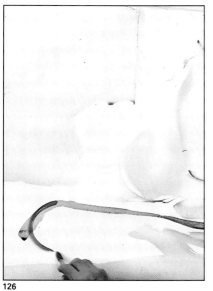

126

127

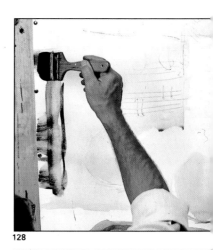

128

129

Il poursuit. Il a d'abord besoin de rouge pour le manche du parapluie, mais n'en veut pas pour le bouchon de l'ex-siphon. Avec le pinceau rond, il peint le manche (fig. 126) déjà recouvert de gris. « En aquarelle, on doit conserver ce que l'on a déjà fait. Il ne faut pas effacer. Chaque touche doit rester présente, il ne faut pas l'étouffer », dit-il.

C'est un artiste complet. Son œuvre très personnelle naît du regard particulier qu'il a sur le modèle et qui s'exprime à travers ses différents essais. Chaque élément est le reflet d'essais antérieurs, et c'est donc dans leur ensemble qu'ils prennent tout leur sens.

Avec le bord du cutter, Casals trace une série de traits sur le lavis bleu-gris du fond gauche. Il ouvre des blancs et dessine une portée (fig. 127) ! Pourquoi une portée ? « C'est un thème fréquemment utilisé en peinture, surtout à l'époque du Cubisme pour les collages. La portée, par son aspect à la fois rigoureux et abstrait, consti-

tue un fond remarquable. De plus, on donne ainsi l'impression d'un papier posé droit derrière les objets. J'aime tellement le papier que non seulement je peins dessus mais je le représente aussi. »

Il essore le pinceau chargé d'eau ou de peinture avec une serviette-éponge qu'il pose sur la table.

Le pinceau chargé de rouge (fig. 129), il peint quelques lignes qui serpentent sur les taches grises du parapluie et entre elles. Elles mettent en valeur la toile du parapluie et précisent son dessin. A la suite, il place une ombre à côté de la pomme (fig. 130). Du Cubisme il a appris que rien ne s'opposait à peindre une ombre en rouge et à laisser une pomme couleur du papier. C'est assez curieux comme observation ; Casals fait certainement référence à l'attitude intellectuelle des Cubistes : « La possibilité infinie d'interprétation. » Toutefois, il est bon de rappeler que cet usage arbitraire de la couleur renvoie surtout à Matisse et aux Fauves.

Fig. 126. Avec le pincea rond, il place une touch rouge pour redessiner manche du paraplui sans chercher à cacher couche en dessous.

Fig. 127. Au cutter, ouvre des traits sur fond qui semblent repr senter une partition.

Fig. 128. Il passe avec tranche du pincea brosse puis à plat, du ve foncé sur la gauche de feuille pliée afin de cré une sensation d'espac derrière celle-ci.

Fig. 129 et 130. Il pei en rouge la toile du par pluie. Ce sont des ligne voluptueuses qui év quent les courbes du p rapluie. Puis, sur le fon il peint l'ombre d'ur autre pomme qui a su sur la partition.

Fig. 131. A l'aide de la petite tige en bois, il trace maintenant un trait épais, pointillé et curviligne qui dessine une coupe sur la pomme jaune.

Fig. 132. Avec ce même bout de bois, utilisé sur la tranche, très chargé de couleur, il trace cette ligne très appuyée qui précise le dessin des branches et de la toile du parapluie.

Fig. 133. Toujours avec cette même tige, il peint une ligne droite, verticale, qui crée un espace entre le siphon et le fond.

Fig. 134. Arrivé à ce point, Amadeu s'est arrêté pour réfléchir. Nous observons plus à loisir la fluidité des taches et la liberté de la couleur. Le jaune humide respire sur le fond à droite, la pomme est bleue comme le papier et l'ombre est rouge. Il faut observer aussi le graphisme qu'on peut obtenir avec un bout de bois.

Dans cette œuvre de Casals, comme chez les Fauves, la couleur n'est pas soumise à la contrainte de l'objet réel, mais se libère et éclate dans chaque tache de couleur. Voilà un jaune vibrant sur le fond gris humide, des taches qui apparaissent nettement ou au contraire se fondent entre elles. La nature morte s'anime, change sans arrêt, les couleurs bougent, les objets se précisent et des ombres se mettent en place.

Amadeu poursuit. A l'aide du bâtonnet, il dessine des traits qui représentent certaines parties des objets. Et ceci, d'une manière instinctive, directe, en passant entre les taches et en les contournant. Ce graphisme linéaire, aux traits tantôt épais, tantôt fins, suggère peut-être une autre lecture possible des objets (fig. 131-132-133).

La petite tige en bois fait partie de son matériel usuel. Un jour qu'il peignait en plein air, un spectateur l'aborda, curieux de savoir quel était cet objet dont il se servait pour peindre. Il lui demanda où l'on pouvait l'acheter. Et Amadeu de lui répondre : « Mais non, c'est un simple bout de bois. » Et au spectateur d'avoir cette répartie mi-figue, mi-raisin : « Bien sûr, moi aussi de temps en temps, je prends un balai pour peindre. »

131

132

134

Ombres, volumes... ou graphismes, couleurs

Casals décide maintenant de donner plus d'importance au siphon et peint le bouchon avec un vert émeraude sale (fig. 135) bien qu'il soit rouge en réalité. Cela correspond à son choix d'interpréter la réalité, de *mettre en rapport les couleurs dans le tableau*, et non pas de les copier directement du modèle.

Il tache ensuite la zone qui correspond à l'ombre des pommes avec un mélange de bleu et d'indigo, laisse couler ce mélange jusqu'à l'intérieur de la pomme jaune (fig. 136 et 137) et va s'en servir pour marquer la coupe. Il lui a semblé qu'il devait salir ce jaune parce qu'il était « trop joli ». Il nous fait remarquer que d'ordinaire il commence à peindre avec des couleurs très intenses ; ce qu'il n'a pas fait aujourd'hui.

Ce qui caractérise essentiellement l'œuvre de Casals, c'est sa « calligraphie », ce choix très vaste de graphismes qui se répondent mutuellement à l'intérieur de l'œuvre. Il rajoute des ombres. Il marque l'ombre du parapluie d'une touche presque noire (gris de Payne violacé), très allongée, très large et sèche qui prend ainsi valeur d'élément plastique (fig. 138).

Les graphismes s'opposent : taches et lignes, éraflures avec un bout de bois et fondus dans l'humide, taches sombres frottées et taches veloutées, profondes. Il entreprend maintenant, très minutieusement, de donner plus d'importance à certaines parties de l'aquarelle, et, à cette fin, emploie les couleurs. Quelques petites touches d'un violet pur, superposées et

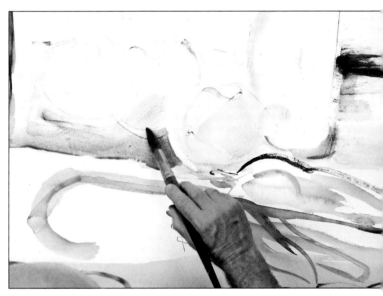

Fig. 135. Cette photo met en évidence le choix d'interpréter la réalité, de la changer en fonction d'une décision personnelle. Il peint le bouchon du siphon en vert alors qu'il est rouge : « Je n'ai pas envie de mettre du rouge dans cette partie du tableau », nous précise-t-il.

mêlées à celles qui sont déjà peintes (fig. 140) ; une touche rouge très allongée dans l'humide (fig. 139) qui délimite une sorte d'horizon sur le tableau ; enfin deux ou trois touches très fines sur le parapluie, de couleur bleu turquoise (fig. 142). Tout cela communique au centre du tableau une grande vibration de couleurs.

Il lui arrive parfois de tracer à l'aide d'un tube d'encre de Chine de fines lignes noires (fig. 141).

Il a deux flacons remplis d'eau, l'un lui sert à nettoyer les pinceaux, l'autre à les charger. Il nous explique que de temps en temps il a besoin d'eau claire pour donner de meilleures transparences à certaines couleurs pures, comme le jaune ou le vert émeraude qu'il utilise beaucoup.

Amadeu à la fin de cet essai, comme nous pouvons l'observer, ne travaille pas de manière systématique. Il rajoute des couleurs, des graphismes qui lui sont suggérés directement par le tableau.

Amadeu porte un soin attentif à l'encadrement de ses tableaux. Il nous explique que lorsqu'on encadre une aquarelle avec un passe-partout, c'est qu'on considère à tort qu'elle n'entre pas dans la catégorie des « œuvres d'art ». Il faut encadrer l'aquarelle avec soin afin de ne pas la dévaloriser par rapport à une huile, technique toujours reine en peinture. « Reine, pas pour moi ! Ce n'est pas à l'huile mais à l'aquarelle que je veux peindre, car cette dernière me demande des efforts, j'ai des obstacles à surmonter. J'aime la difficulté, contrairement à une opinion répandue. »

Fig. 139. Immédiatement après, Amadeu délimite l'horizon (l'extrémité du plan du fond), par une autre grande touche de rouge pur peinte sur humide.

Fig. 140. Amadeu peint quelques légères touches de couleur violette sur le parapluie, au centre de la composition. Ces touches recoupent les précédentes.

Fig. 141. En se servant du tube d'encre de Chine noire, il dessine des lignes très fines.

Fig. 142. Une couleur vibrante, le bleu turquoise, apparaît aussi au centre de la composition, et il suffit de deux petites taches pour qu'elles attirent l'attention.

, 136 et 137. Amadeu ce sous les pommes e longue touche hori-tale comme pour évo-er une ombre, une sé-ation. Il pénètre en-te très rapidement ns le jaune de la mme pour lui donner s de volume et bien tégrer dans l'atmos-re générale du ta-au.

, 138. Amadeu ren-ce les contours du pa-luie avec une grande che de couleur in-se, de forme large et ngée. Cette touche cise nettement le pre-r plan qui, jusque-là, tait que suggéré.

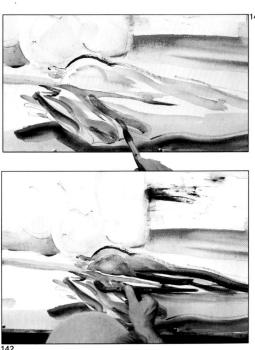

« Un tableau n'est jamais terminé »

143

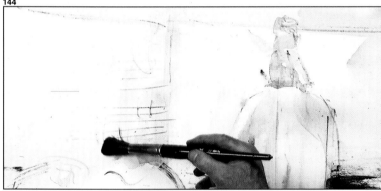

144

Amadeu donne maintenant les de nières touches, bien qu'il soit difficile parler de dernières touches lorsque l'a tiste lui-même dit qu'il ne « termine » pre que jamais une œuvre. Il ne la signe q lorsqu'il est sûr de la valeur artistique son travail. Il met parfois des mois à s' convaincre, parfois il ne s'en convainc pa Même aux heures de repas, de détente, regarde les œuvres qui l'entourent, enc drées ou non, et dont toute la maison n gorge, comme un musée. Soudain, on voit se lever pour changer ou ajout quelque chose à un tableau. Il deman quelquefois à l'encadreur de défa l'aquarelle pour y peindre, y dessiner y ajouter quelque chose.

Pour donner plus de corps, les sépar des fruits et du siphon, il va recouvrir graphismes de la portée d'un lavis cla mi-turquoise, mi-cobalt.

Fig. 143. Avec le même bleu turquoise que celui du parapluie, Amadeu travaille plus en profondeur le siphon et la pomme orange. Cette couleur, selon le contexte environnant, va aussi lui servir à créer des transparences ou des ombres.

Fig. 144. Avec différe bleus, Amadeu tache licatement la partit pour la mettre en vale

145

146

Fig. 145 et 146. Avec le pinceau chargé d'eau, Amadeu dilue la tache au centre du tableau ; ensuite, avec un mouchoir il absorbe la peinture humide. Cette tache, exécutée avec la petite tige en bois, est un élément de la composition, et l'artiste nous dit : « Je ne peux pas totalement la supprimer car elle sert de contrepoint au graphisme situé au-dessus de la pomme jaune. »

Il travaille aussi le siphon pour lui donner davantage l'aspect du cristal. Nous voyons qu'il en a terminé pour aujourd'hui, et nous photographions. Mais non. En effet, il vient d'absorber la couleur de la tache sombre, abstraite, à droite du siphon. Il a mouillé l'endroit au pinceau et absorbe en partie la couleur avec un mouchoir (fig. 146) ; il n'ôte pas la totalité car il a besoin de cette couleur sombre pour compenser les lignes de la partition de l'autre côté du tableau.

C'est terminé, il n'y touche plus, tout au moins pour le moment.

En suivant tout le déroulement de la séance, vous avez pu vous rendre compte que Casals n'éprouve aucun scrupule à faire « disparaître » les objets, à les transformer, à les détruire ou au contraire à les inventer. Le sujet n'est qu'un prétexte, un point de départ pour construire une aquarelle pleine d'imagination ; une œuvre qui s'inspire davantage du projet personnel de son auteur que du sujet lui-même. C'est dans cette optique que nous étudierons les cinq essais reproduits sur la page suivante et qui illustrent le processus même de création d'une œuvre. Il va nous commenter personnellement ces essais. Qui pourrait mieux le faire que l'auteur lui-même ?

Fig. 147. Photographie de l'aquarelle terminée. Pour Amadeu, elle n'est qu'une étape dans le processus de création qu'il mène sur le thème de la nature morte au parapluie. On voit, à la fin de l'exécution, qu'il a marqué plus profondément le volume du siphon. Il a fait apparaître une tache rouge sur la pomme gauche qu'il a égratignée au cutter pour ouvrir une lumière. D'autre part, il faut noter la grande réserve de blanc que forme la feuille de papier et qui donne à l'ensemble du tableau, ses contrastes de lumière. Amadeu s'est servi de ses propres moyens, il s'est laissé guider par les taches de couleur qu'il a posées sur le papier, plus que par le sujet lui-même. Son souci de la composition, du graphisme et de l'harmonie des couleurs lui permet de nous offrir cette aquarelle si fraîche, fidèle reflet du talent de Casals.

147

D'essai en essai... d'expérience en expérience

148

Fig. 148. Ci-contre, une nouvelle présentation de la nature morte qui sert de sujet à cette série d'essais. Vous pourrez donc établir des comparaisons entre les différentes interprétations auxquelles elle a donné lieu.

« Je dirais qu'à travers l'œuvre que viens de réaliser (fig. 151), je m'identi dans les graphismes qui encadrent le phon et dans les formes et les couleurs fruits. Elles rapppellent un peu Cubisme. Par contre, le siphon m' étranger. Dans cet autre essai (fig. 15 c'est tout le contraire ; tout ce que je cherchais s'y trouve et par conséquent, ne veux pas y toucher. Sur l'essai là-l (fig. 149), la couleur est bonne mais le phon et les baleines du parapluie ne s pas assez travaillés. Sur cet autre es (fig. 152), le travail du siphon est plus compli, par contre j'ai réduit la compo tion en ne représentant pas la courbe manches des parapluies. J'aime mie cette composition où j'ai porté l'accent les étoffes et le vase blanc. Sur l'essa peu coloré (fig. 153), je me suis surt intéressé à l'exécution du vase. En bref s'agit d'un cheminement *pas à pas*, se ta formule, mais à travers plusie œuvres. C'est un enchaînement d'ex riences, d'essais qui ouvrent une voie. dernier essai découle des autres, il en une des conséquences. Rien ne me sa fait complètement. »

149

150

Pour Casals, c'est « l'essai », la cherche qui comptent. Il ne croit pa « l'œuvre achevée ». C'est pourquoi ne souhaite pas que cette dernière cr tion, qu'il vient de peindre dev nous, soit considérée comme u œuvre d'art. Pour lui, il ne s'agit d'une étape parmi les multiples riantes qu'il a réalisées sur ce thè On devrait donc parler dans ce cas *d essai à l'autre* plutôt que d'un *pas à p* Pour Amadeu Casals, chaque aquar ouvre la voie à l'œuvre accomplie q ne réalise jamais. Il se contente choisir, parmi plusieurs études port sur le même thème, celle qui lui pa la plus intéressante, la plus suggesti

Dans cette série, quelle est l'aq relle qui vous semble la plus inté sante, cher lecteur ? Après avoir ét tous les rapports existant entre les férentes aquarelles qui composent c

152

uvre d'ensemble, essayez de savoir urquoi l'une vous attire plus particulièment. C'est un excellent exercice qui apend à porter un jugement sur la peinture un artiste mais aussi sur la vôtre. Nous pérons que les commentaires dévepés tout au long des différents chares vous seront utiles au moment de us mettre à peindre une nature morte à quarelle, mais aussi, qu'ils vous aident à entrer dans l'œuvre d'Amadeu Cas, œuvre riche, vivante, curieuse et puvante.

153

Fig. 149 à 153. Voici donc ces cinq aquarelles qui sont comme cinq états d'une œuvre unique. Pour Amadeu Casals, les objets les plus significatifs sont le siphon et le parapluie, bien que sur l'une d'elles, le siphon ait été remplacé par un pot (fig. 149). Le beau vase blanc a disparu lui aussi, sur l'un des essais (fig. 151). Ce sont donc les parapluies qui sont l'élément essentiel du sujet et qui vont amener l'artiste à adopter un système de composition déterminé : le parapluie est toujours placé en bas mais pas toujours à l'horizontale. Parfois, on a l'impression qu'Amadeu a soigné davantage la composition (fig. 149 et 152), avec des lignes plus claires et marquées intentionnellement. D'autres fois, c'est la couleur qui est plus élaborée. C'est le cas pour les figures 149 et 151, par exemple, mais aussi pour la figure 153, où la couleur est d'autant plus remarquable qu'elle apparaît moins. En effet, le bouchon rouge et le manche rouge du parapluie sont les seules couleurs qui se détachent sur l'ensemble bleu. Enfin, figure 150, on peut apprécier l'aisance des taches et le graphisme linéaire qui parcourt les formes, sans pour cela en accuser le profil. Ce sont ces caractéristiques, la force expressive des deux parapluies au premier plan, de forme identique mais d'aspect différent, qui font que nous considérons cette aquarelle comme la plus représentative du talent de l'artiste.

Manel Plana, peintre de la lumière

154

Manel Plana, né en 1949, est depuis peu peintre professionnel, mais toutefois modeste dans ses ambitions. Comme il le dit lui-même : « Le succès n'a de sens que s'il est soutenu par le travail. » C'est un artiste affable, sociable, prêt à nous expliquer tout ce qui peut être intéressant dans son processus créatif. Il nous raconte, qu'au début, il était attiré par la publicité. Il s'est finalement décidé pour la peinture car il se sent mieux dans le domaine de l'art, moins dépendant des pressions extérieures et également, pourquoi ne pas le dire, moins soumis à la rude ambiance de compétition de l'entreprise.

Il a participé à plusieurs expositions et il est lauréat de nombreux prix, surtout pour des aquarelles, tel le premier prix national de l'aquarelle en 1980, à Barcelone. Remarquons qu'il pratique aussi la peinture à l'huile. Ses tableaux semblent posséder leur propre lumière. Ce sont des tableaux brillants, presque toujours pénétrés par une atmosphère de lumière blanche très forte.

Il prépare le thème qu'il va nous peindre à l'aquarelle. Il place un fond neutre légèrement écru (un tissu en lin) et jette sur la table une nappe blanche sur laquelle il place des objets clairs, presque tous blancs ; sur un pot opaque et une bouteille transparente se détachent les notes chaudes de fruits, de quelques petites branches et de fleurs séchées que Manel Plana dispose comme « prétexte », selon ses propres termes. Le sujet qui présente une grande unité de couleurs blanches, est éclairé de face gauche par un projecteur. Sous cet éclairage puissant, les silhouettes blanches des objets semblent vibrer, entourées par un halo de lumière.

155

156

Le matériel. Voici les pinceaux qu'utilise Manel. Deux pinceaux en forme de « langue de chat », en poil de « petit-gris » (écureuil), du numéro 4 et 8 ; un gros pinceau rond du même poil, numéro 10 ; et pour finir, un pinceau en soie de porc qu'on utilise pour l'huile, dur, très usé, du n° 10. Les couleurs crémeuses sont en tube : jaune de cadmium, orange, violet de garance, sienne doré, bleu outremer et indigo. « Cette couleur me sert à griser ou à assombrir les tons. » Il y a aussi un tablier, un chiffon, une éponge et une boîte-palette pour les mélanges.

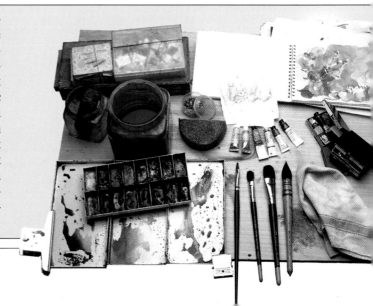

L'œuvre de Manel Plana

157

158

Fig. 157 à 159. Manel Plana a souvent exposé et il a obtenu des prix importants. Il désire apporter quelques précisions afin de ne pas être « catalogué ». « Je pratique l'aquarelle mais aussi l'huile. Il est vrai que ce sont mes aquarelles qui ont été récompensées. Tous les sujets m'intéressent, le paysage, la nature morte, le personnage et même les animaux. » Nous avons eu la chance de pouvoir admirer de près quelques-unes de ses œuvres. Il est aussi à l'aise dans le paysage que dans le personnage ou la nature morte. Il sait tirer le meilleur parti de la transparence de l'aquarelle et donne ainsi aux sujets une grande luminosité, qualité que nous pouvons apprécier dans les œuvres qu'il a ramenées du Maroc, toutes en contraste et expressives.

159

Première étape : dessin et peinture rapide des taches

160

161

162

Plana me montre quelques croquis à l'aquarelle sur le même thème, avec des variantes dans la position, l'éclairage, les objets... Ce sont des notes de couleur où les réserves de blanc abondent. Elles sont poétiques et très synthétisées (Fig. 160, 161 et 162).

Il commence à dessiner avec le vieux pinceau pour l'huile. Il mélange du bleu outremer et du magenta très dilué ; il ne peint que la structure. Il bouge beaucoup, il s'approche, il s'éloigne, remue le bras qui tient le pinceau comme s'il anticipait le mouvement qu'il va réaliser sur le papier. Malgré les dimensions importantes du papier, 70 cm sur 100 cm, il l'a fixé avec quatre punaises sans l'avoir humidifié au préalable. Il va lui falloir travailler avec vigueur.

Il peint des traits, des taches petites, sèches, abruptes, traînées littéralement sur le papier, avec très peu d'eau. Il compose en plaçant les objets dans la partie inférieure du papier, l'un après l'autre, de façon bien nette, avec un trait vif, délié, pictural, jamais refermé sur lui-même. Il marque d'un trait presque invisible l'horizon du dessin : « C'est pour moi très important, autant pour la composition que pour la disposition des couleurs. »

Il faut souligner l'amabilité de Plana. Sans aucune réticence, dès le départ, il s'est mis à notre disposition, nous explique son travail, répond à nos questions même lorsqu'il est absorbé dans son travail. Il nous précise que bien qu'il ait apporté beaucoup de soin dans la sélection du sujet, il le modifiera en cours de séance suivant l'évolution sur le papier. Selon ses

propres dires : « Ce qui est important, c'est la structure du tableau, c'est ce qui se passe dans l'espace-plan du papier ou de la toile. *Ce que je vois* dans la réalité peut s'adapter au tableau, *à ce que je peins*. »

Il poursuit : « C'est comme un dialogue. Il faut écouter ce que demande le tableau. L'esprit peut le percevoir et y répondre automatiquement. Parfois nous ne savons pas prêter une attention suffisante ou, au contraire, nous entendons trop de choses. Alors nous ne savons pas ou nous ne pouvons pas continuer à peindre. » Nous aurons l'occasion d'assister à ce « dialogue ».

Fig. 160 et 162. Ces c[...] quis à l'aquarelle so[...] des esquisses réalisées[...] partir du même thèm[...] avec simplement de[...] gères variantes dans[...] disposition des obje[...] Mais, Manel s'essaie[...] différentes compositio[...] à des modifications d[...] clairage ; il traite dif[...] remment le sujet :[...] contraste, l'ambiance,[...] relation chromatique...

Fig. 163 à 167. Plana de[...] sine au pinceau en soie[...] frotte le papier. Ensuite[...] peint avec des couleu[...] vives, en profitant de[...] fusion spontanée d[...] couleurs humides.

164

165

166

167

Il travaille le fond du bouquet de fleurs avec le pinceau en forme de « langue de chat » n° 8, plat et au bout bombé, qu'il trempe dans du jaune légèrement orangé. Il l'éclaircit ou l'assombrit avec plus ou moins d'eau. Il mélange ce jaune directement sur le papier à un lavis bleu outremer et couvre ainsi tout le fond. Les touches sont énormes, décidées, comme un écho aux dimensions du papier ; il lui « faut » couvrir une grande surface et non rendre des formes concrètes.

Pris d'une sorte d'élan difficile à suivre même du regard et, encore plus, à photographier, il trempe successivement le pinceau dans l'orange, le vert (mélange de bleu et de jaune), le sienne et le bleu. Ce sont des couleurs intenses qu'il dépose sans les mélanger, ni les salir, sur la zone du bouquet de fleurs. Tout ceci si rapidement, que les couleurs se mélangent, se fondent sur le papier et donnent des volumes qui se construisent presque par hasard. Ces taches de couleurs qu'on aurait dit posées « n'importe comment » ne donnent pas un résultat « farfelu ». Au contraire, elles ont construit le bouquet que Manel désirait : « Comme un prétexte, une excuse, une suggestion. » Une suggestion riche dans les nuances, mais aussi dans l'exécution : les touches sont toutes différentes, les unes se mélangent, d'autres se recoupent et découpent... Il n'hésite pas à gratter et à enlever de la peinture à l'aide du doigt ou de la main, à frotter sur la couleur humide... C'est une véritable leçon de savoir-faire.

Ensuite, il reprend le pinceau usagé en soie, le trempe dans l'indigo et l'outremer.

Comme c'est un pinceau qui ne peut pas retenir beaucoup d'eau, il le traîne sur le papier et trace ainsi quelques traits pour le vase. Avec ce pinceau, il peint quelques branches, « les lignes qui construisent le bouquet », en frottant directement sur les couleurs vives du fond. Ces touches entrecoupées marquent surtout la séparation entre le « bouquet » et le « fond », entre le « volume » et « l'ombre » que projette ce « volume ». Ce sont des touches étroites, en zigzag. Comme elles sont frottées sur le papier, elles laissent transparaître des pointes des couleurs qu'elles recouvrent. Le grain du papier et le peu d'humidité empêchent le pigment de pénétrer dans le papier. De plus, Manel a changé sans cesse la position du manche, a bougé le pinceau en tous sens par des mouvements rapides.

Fig. 168. Manel unit, fond avec la tranche de la main les couleurs encore humides. Il cherche à donner au bouquet terminé une impression vaporeuse.

Fig. 169. Avec le pinceau utilisé pour l'huile, il va évoquer par des lignes brisées, frottées, en bleu outremer, certaines ombres, des petites branches et des profils dans le bouquet et sur le vase.

Fig. 170. Manel a surtout travaillé le bouquet qu'il a exécuté d'une manière suggestive, vibrante, floue en apparence... Et cependant quelle force dans la couleur et le volume ! Il a su synthétiser, travailler les taches de couleur avec beaucoup de sensibilité en réservant çà et là les blancs nécessaires.

Deuxième étape : mélange sur le papier

Plana peint les ombres du fond en bleu outremer qu'il mélange souvent à d'autres couleurs. Ici, il casse le ton avec du sienne brûlé, réalisant ainsi l'ombre sur le compotier et sous le bouquet. Il nettoie immédiatement le pinceau, mélange de l'orange, du jaune, du bleu et obtient un vert. Il tache alors avec de grandes touches arrondies le bleu rompu violacé encore humide.

pur la partie sombre du vase qui contient le bouquet. Il ajoute de l'eau, mélange l'outremer à du carmin et du sienne et tache le reste du vase avec ces couleurs transparentes. C'est ainsi, qu'en alternant des couleurs fortes et des couleurs diluées, il a pu donner au vase sa forme.

Quand il a terminé de peindre, il essore le pinceau entre ses doigts, l'égoutte. Avec le pinceau sans cesse en mouve-

171

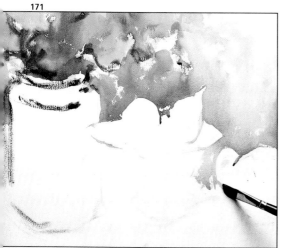

172

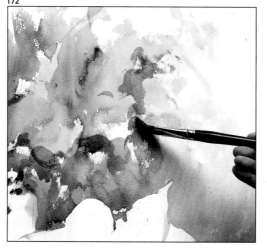

173

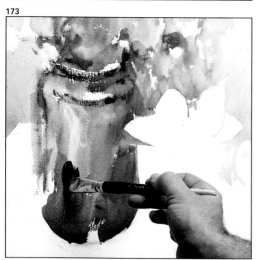

ment, et à moitié tordu, il absorbe de la peinture jusqu'à obtenir un éclat de lumière sur le vase. A cet instant le pot prend une intensité de couleur et une texture proches de celles qu'on peut obtenir à la peinture à l'huile. Il faut savoir cependant, que les couleurs à l'aquarelle perdent dix pour cent de leur intensité au séchage. Ce vase est un chef-d'œuvre de synthèse, avec ces couleurs qui gouttent, ces touches carrées qui figurent les ombres pour partir ensuite vers le fond, en traversant le vase.

Manel Plana nous explique que le dialogue qu'il établit avec la peinture (sans cesse interrompu aujourd'hui par la prise de photos et nos questions) est très fort, puisqu'en aquarelle il faut répondre très vite, presque par hasard, aux interpellations des taches de couleurs sur le papier.

Soudain apparaît sur le papier une tache de couleur magenta au milieu de l'ombre sur le compotier. Au centre, cette ombre

Ensuite sur le bouquet sec, il fait ressortir les formes et pose des taches sombres de couleur bleue et verte, afin d'obtenir des ombres plus profondes, des contrastes plus forts qui vont préciser le volume.

Maintenant il peint en bleu outremer

Fig. 171. Avec le mêm bleu outremer toujou légèrement mélangé à sienne brûlé, il peint jus sous le bouquet ; ensui il dilue cette couleur po la fondre au jaune fond jusqu'à arriver à l'e droit où les taches fond se confondent av celles de la nappe. Ce tout en préservant blanc du papier.

Fig. 172. Sur la couleur e core humide, Manel pa se des petites touch arrondies d'une coule très grisée, entre le ma ron et le vert. Il fait vibr l'ombre puisqu'elle n'e pas uniforme et obtie les transparences bouquet.

Fig. 173. Manel va ex cuter le vase aussi ra dement qu'il l'a fait po le bouquet. Avec tro couleurs qui se mêle sans cesse, le bleu outr mer, le carmin et sienne, en faisant vari leur saturation et mêm quelquefois en peigna directement à l'e claire, il obtient ce me veilleux détail. Il est vr que le vase n'a pas cet couleur dans la réalit mais c'est le reflet de vision personnelle de M nel Plana.

g. 174. Ensuite il ren-
orce l'ombre du vase, le
averse et trace une
ouche continue et curvi-
gne qui fait ressortir et
arque la réserve du
ompotier blanc.

g. 175. Outre les cou-
urs utilisées sur le vase,
n trouve du jaune au
ed du compotier. La ré-
erve blanche en demi-
ercle qui se trouve au
ed correspond à la zone
clairée de ce compotier.
a zone d'ombre reste
ansparente, chaude, mal-
ré les bleus, et cela cor-
spond à la couleur locale
blanche) du compotier.

174

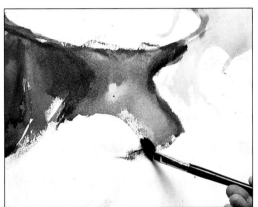

175

bleue, comme toujours posée nettement, se mélange immédiatement sur le papier avec le jaune et donne une couleur légèrement cassée.

Ensuite, il tache avec un bleu intense le pied du compotier par une touche qui marque aussi l'ombre sur la nappe blanche ; il termine presque le compotier, en laissant une grande réserve de blanc dans la zone éclairée. Le blanc du papier, contrairement à ce que nous pourrions penser, ne fait pas un « trou » dans le tableau. Au contraire, il s'intègre parfaitement entre les contrastes lumineux qui, pour le moment, constituent l'ensemble de la peinture. Avec la même couleur, plus nuancée et plus diluée, il commence à tacher les ombres dans l'arrière-plan des objets. Il passe en même temps sur l'anse de la théière, le bol et marque légèrement le volume de ces objets.

L'aquarelle commence à présenter des qualités remarquables.

176

g. 176. Si vous compa-
ez cette photographie à
elle du modèle, vous
ouvez observer les va-
antes que Manel a intro-
uites. Elles sont le fruit
e nombreuses études
ur le même thème, de
on imagination, et sur-
out de l'attention qu'il
orte au tableau, certai-
ement plus qu'au mo-
èle. Par contre, le carac-
ere lumineux de l'exé-
ution, les réserves de
anc très nettes sont
us autant à sa propre
écision qu'au modèle
ui l'inspire.

Troisième étape : harmonie en bleu et jaune

Maintenant Plana tache la bouteille en verre avec des couleurs très chaudes, transparentes et rompues. Çà et là, des taches se superposent en laissant des blancs, ou bien fusionnent et se confondent. Avec les doigts, il retravaille souvent les traits récents pour les couper, les estomper, leur ôter de leur dureté. C'est le cas pour les touches qui dessinent la bouteille.

Dans la gamme qu'il utilise, on trouve essentiellement du bleu outremer, pur ou mélangé à d'autres couleurs, surtout au violet de garance et au jaune ; il ajoute souvent en moindre quantité du sienne brûlé. Il obtient toutes sortes de valeurs et de nuances, des bleus très transparents,

des mélanges inattendus, des tons gris, des tons pâles, qu'il réalise en ajoutant quelques touches de jaune dilué sur la couche précédemment déposée. Et il va créer ainsi un vert pâle, une transparence chaude sur le fond : cette couleur rompue de la blancheur de la porcelaine, l'ombre claire marquée sur un objet blanc et aussi le reflet lumineux qui le caractérise.

Il peint les ombres à l'intérieur de la théière et du bol, avec un indigo à peine rompu, assez dilué ; quand la peinture goutte, il s'empresse de la recueillir, de l'absorber avec le pinceau bien égoutté. Il est rare qu'il la laisse couler librement ; il ne se l'est permis qu'une seule fois alors qu'il travaillait le vase sur la gauche.

Il reprend le fond, avec les mêmes tons il continue à peindre l'ombre. Dans le mélange, le sienne maintenant prédomine, ainsi l'effet qui s'ensuit est beaucoup plus chaud quoique plus gris. Les touches longues et étroites, entrecoupées, laissent toujours apparaître des blancs et des parties vierges.

Plana ne cesse de bouger ; il s'éloigne, se rapproche de la feuille de tout son corps ou avance simplement la tête. Il regarde rapidement le tableau et observe le sujet

Fig. 177. Avec des couleurs très douces, toujours dans l'harmonie générale, à base de bleu outremer et de jaune, Manel exécute cette bouteille en verre transparente qui se détache à peine du fond. Avec le doigt, il coupe la ligne trop dure du col de la bouteille.

Fig. 178. Un autre travail encore plus simple que le précédent. Le bol est rendu nettement, les blancs sont blancs, l'ombre se mêle au fond. Ici, Manel va préciser et allonger une touche avec le doigt.

Fig. 179 et 180. Manel marque l'ombre à l'intérieur du bol ; la couleur très diluée coule : il faut éliminer la goutte sombre avant qu'elle ne sèche. Avec le pinceau sec, il absorbe l'eau jusqu'au point voulu.

177

178

179

180

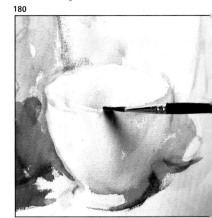

1

2

3

sous tous les angles, remue les bras, comme dans une danse, puis, sans que rien ne le laisse prévoir, c'est la confrontation directe, concrète, du pinceau avec le papier.

Quand il s'arrête, ce qui est rare, il fait quelques commentaires. Cela fait plusieurs fois qu'il travaille sur ce même thème. Il change les objets de place, il modifie sur le papier la composition, il la met en haut, en bas et au centre. Il fouille la gamme des couleurs pour obtenir ces blancs brillants qui le satisferont. Il sait ce que vont donner les mélanges et le papier employé. A cet égard, il nous explique : « Chaque type de papier conditionne la manière de travailler, nous oblige à recourir à des procédés différents. Il faut connaître le papier pour en tirer le maximum, et pourtant, même quand on le connaît bien, il peut encore nous réserver des surprises désagréables. »

Fig. 181 à 183. Manel peint debout. Il s'éloigne continuellement du tableau, après avoir fait quelques gestes rapides sur le papier, il s'éloigne à nouveau. En fait, il peint en se tenant à distance du papier, il est vrai qu'autrement, vu le format de la feuille, il perdrait la vision d'ensemble.

Fig. 184. Les nombreuses réserves de blanc aèrent le tableau. Par endroits, Manel les a recouvertes de couleurs transparentes. Observons aussi les ombres du fond, elles sont claires et se sont fondues doucement sur le papier. Par contraste, les profils découpés de quelques taches nous indiquent simplement où commence la zone de lumière. Voyons comment les objets s'associent, ceux de droite par des contrastes doux, ceux de gauche par des couleurs plus éclatantes.

184

Quatrième étape : ombres et transparences

185

186

187

Il reste au milieu du tableau quelques réserves blanches arrondies. Ce sont les fruits qu'il se prépare à peindre.

Il les dessine, les redessine, avec un bleu outremer sombre et intense qu'il passe avec le pinceau en soie de porc. Immédiatement, avant que cette couleur ne sèche, il peint avec de l'orange presque pur.

Toujours sur la couleur encore humide, il passe un mélange d'orange, de jaune, de sienne avec une pointe de bleu. Il change de pinceau, prend « le petit gris », et remplit presque entièrement la pomme, avec cet ocre chaud et rompu qu'il dilue. La transparence, caractéristique des peintures d'aquarelle, donne des résultats bien différents selon que les zones ont été réservées ou préalablement peintes en orange. Dans ce dernier cas, l'orange, couleur chaude, se fond dans le bleu du contour de la pomme pour donner un gris intermédiaire, une zone de passage et de communication qui lie l'objet (la pomme) à son ombre propre et à l'ombre qu'il projette sur la nappe.

Soudain, il trempe le pinceau dans une couleur sombre. Il peint des taches fermes qui séparent le fond et l'objet et précisent ainsi les volumes.

Quand il commence à colorer les pommes qui sont dans le compotier , il suit plus ou moins le même processus. Il passe

Fig. 185. Dessin au ble outremer puis couch jaune-orange, suivie in médiatement d'une t che transparente qui i dique la partie dan l'ombre, passée avec tranche du pinceau cha gée de jaune.

Fig. 186. Ombre bleu sur la nappe : ombre pr jetée par l'objet. L même harmonie, jaur et bleue, qui sert à situ la pomme dans l'espac du tableau.

Fig. 187. Cette mêm couleur va pénétrer dar la pomme et préciser construction du volum La couleur mélangée p transparence à l'orang ou au jaune donne diff rentes nuances et v leurs. Ensuite avec le pi ceau, il absorbe çà et un peu de peinture po indiquer les reflets de nappe sur la pomme.

Fig. 188. Manel a tran formé une pomme e poire, plus jaune et plu verdâtre. L'ombre de pomme projetée sur poire est exprimée d'ur façon à la fois plus simp et élaborée : un plan ble sur le jaune humide. De blancs affleurent partou unissant les zones de lu mière de l'ensemble d tableau.

188

Fig. 189. Quelques tache grises, libres et ténue: mélange de sienne et d bleu très dilué, indiquer des ombres ou des pl au premier plan, sur nappe blanche.

g. 190. Que dire d'un
bleau d'une exécution
ussi nette et aussi
ussie ? Le tableau est
atiquement achevé, les
lations de lumière et
ombre sont nettement
efinies. En jouant avec
froid (bleu), le chaud
une), et les mélanges
i en découlent, on a
ussi une union harmo-
euse qui crée l'espace,
profondeur et l'am-
ance. Une ambiance
aude, lumineuse, sug-
estive... mais aussi cons-
ctive. Quelques objets
détachent, d'autres
n. Richesse des pro-
dés, des tonalités, ef-
ts variés : de la trans-
arence à la densité.

de larges touches comme des plans qui
vont définir et construire le volume en sé-
parant de manière plus nette, plus concrète, la lumière de l'ombre.

Ombre projetée et ombre propre,
toutes deux transparentes et toutes deux
pratiquement réalisées d'une seule touche
large, rectangulaire qui, en se superposant
aux différents fonds, produit deux tons
différents.

Fraîcheur, aisance, spontanéité... Tout
cela en une synthèse de touches picturales
exprime la réalité du modèle sans le copier
servilement.

Pour finir, à l'aide du pinceau rond, il
colore le chiffon au premier plan. Il utilise
un lavis gris, entre l'indigo et le sienne,
qui se répand vers le fond, sur les endroits
qui ne sont pas encore peints. Il indique
les plis des traits amples, qu'il frotte afin
de réserver des espaces blancs et mieux
exprimer ainsi la chaude blancheur du
chiffon...

189

0

Cinquième et dernière étape : le blanc est une couleur

Bien que nous ayons ajouté une cinquième étape à cette séance, nous remarquerons qu'il y a peu de changement, car en fait, l'étape précédente consiste pratiquement en une « préfinition ». Cela nous permettra de mieux observer l'ensemble de l'œuvre, maintenant terminée et signée. Manel Plana ne quitte pas la feuille des yeux. Il donne çà et là une dernière touche presque invisible. Avec un lavis au ton chaud, il précise par endroit une séparation... et nous fait remarquer, avec insistance, qu'il a déjà travaillé ce thème plusieurs fois. « On n'obtient rien sans effort, il ne faut jamais être sûr de soi. Il faut travailler beaucoup, reprendre les mêmes essais. Nous ne pouvons pas nous enorgueillir, l'aquarelle, comme la peinture en général, peut nous réserver

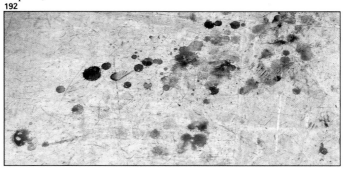

beaucoup de surprises. Nous devons être attentifs à sa demande, car le papier, la couleur et le pinceau ont aussi leur propre dynamique. Nous ne pouvons les faire obéir, les contraindre à suivre un chemin, quand souvent il est déjà trop tard. » Comme nous le voyons, peindre c'est établir une *communication permanente* avec l'œuvre. C'est aussi travailler sans relâche, essayer continuellement. Travailler, travailler encore.

Le blanc prend toute sa valeur dans cette aquarelle, en particulier le blanc du papier. Les contrastes, la lumière forte intéressent Plana ; il a souvent peint au Maroc. Aussi quand il se prépare à peindre une nature morte, il choisit le thème en fonction de ces effets. Il prend donc des objets blancs et clairs, sur lesquels il pro-

jette une lumière puissante. Sous cet éclairage, les objets brillent et s'agrandissent, comme s'ils possédaient une silhouette blanche et leur propre halo de lumière. Plana est sans aucun doute un excellent peintre de la lumière. Ses aquarelles sont lumineuses, brillantes. Les zones blanches, nombreuses, parfaitement intégrées, servent autant que les couleurs à l'élaboration de la composition. Cette magnifique aquarelle qui a pris vie sous nos yeux, n'est qu'un des exemples d'une œuvre belle, dense, ouverte et lumineuse, l'œuvre de Manel Plana.

Fig. 191 et 192. Tout au long de la séance, Manel a essuyé son pinceau. Pour l'égoutter, il le serre dans la main et le laisse couler sur le sol. Nous pouvons voir le sol se couvrir de taches.

Fig. 193. Manel Plana, sur le tableau terminé, signe avec le pinceau plat le plus étroit.

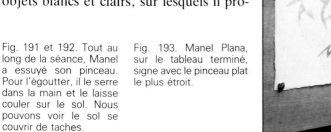

194

Fig. 194. Voici le tableau achevé, signé. Ne cherchez pas un changement par rapport à l'étape précédente, il n'y en a aucun. Pendant un bon moment, Manel a observé attentivement l'aquarelle, mais finalement, il a décidé qu'elle était bien ainsi. Nous sommes d'accord. L'aquarelle est belle ; bien que de dimension impressionnante, elle a été exécutée avec une grande spontanéité. Cette fraîcheur s'allie au savoir-faire tant dans le traitement particulier du contraste de lumière que dans l'habileté à manier les blancs du papier. Il crée ainsi l'atmosphère lumineuse caractéristique de la lumière sur les objets blancs, et aussi, propre à l'ensemble de son œuvre.

Table des matières